JALOEZIE DOET PIJN

J.F. van der Poel

Jaloezie doet pijn

de groot goudriaan

Van deze auteur verschenen eerder:

Een leugenkind
In het web van een loverboy
Moeders jeugdliefde

Eerste druk in deze uitvoering 2006

Omslagillustratie Willeke Boogaards-Alblas
ISBN-10: 90-5977-187-7
ISBN-13: 9789059771871
NUR 344

www.kok.nl

Namen van personen in dit boek:

Mirjam Trumf	secretaresse bij Theo Verschoot
Anna Trumf	moeder van Mirjam
Johan Trumf	vader van Mirjam
Theo Verschoot	directeur van een groot bedrijf
Ronny Terfont	werkt bij Theo
Rudolf Terfont	zoontje van Ronny
Ben de Korte	werkt samen met Theo
Marie	huishoudster van Theo
Kees	man van Marie
Alfred Amstrong	vriend van Theo Verschoot

1

Theo Verschoot zit achter zijn grote bureau met zijn ellebogen steunend op het werkblad. Zijn gedachten zijn niet bij zijn werk. Soms heeft hij het te kwaad met zichzelf. Hij, de grote zakenman tegen wie iedereen zo opziet, is directeur van een van de grootste bedrijven van het land. De laatste tijd komt er weinig werk uit zijn handen en is hij vaak afwezig.

Hij heeft geluk dat hij goed personeel op zijn kantoor heeft en een vlotte secretaresse, Mirjam, die hem veel werk uit handen neemt. Als zij op de deur van zijn kantoor klopt, gaat hij snel rechtop zitten.

'Ja...' antwoordt hij zacht.

'Heeft u even tijd, meneer? Er zijn een paar heren die u willen spreken.'

'Waarover?' vraagt hij kort.

'Dat kunt u beter aan hen zelf vragen, meneer,' antwoordt Mirjam voorzichtig.

'Zeg maar dat ik vandaag niet te spreken ben.'

'Maar, meneer, ik kan ze toch niet zomaar wegsturen? Ze willen u per se vandaag spreken,' houdt Mirjam vol.

'Wie is hier de baas?' vliegt Theo Verschoot op van achter zijn bureau.

'Neemt u me niet kwalijk,' zegt Mirjam geschrokken.

'Ach, je hebt gelijk. Laat ze maar binnenkomen. Ik zal wel luisteren naar dat gezeur van die lui,' antwoordt Theo met een bromstem.

'Goed, meneer. Zal ik ze dan nu binnenlaten?'

'Nee, laat ze eerst maar een half uurtje wachten, dan kan ik me wat voorbereiden.'

'Weet u dan wie het zijn, meneer?'

'Zeker weten. Ze willen zaken doen over dat transportbedrijf. Je weet wel, dat bedrijf dat bijna aan de grond zit. Nu proberen ze het aan mij te verkopen.'

'Ja, ik herinner het me, meneer. Ik laat ze wel even wachten,' antwoordt Mirjam.

Na een halfuurtje laat Mirjam de drie heren binnen. Theo Verschoot schudt hen vriendelijk de hand, wijst dan naar de vergadertafel en gaat bij hen zitten.

'Mirjam, misschien willen de heren iets drinken?'

'Graag koffie, dat wil er altijd wel in,' zegt een van de mannen, gekleed in een vlot donker streeppak. Hij heeft waarschijnlijk de leiding.

Mirjam brengt de koffie en gaat dan weer achter de balie achter de computer zitten. Telkens komen daar mensen en krijgt ze telefoon. Als ze vragen stellen waarop zij geen antwoord weet, verwijst ze hen door naar een van de vele afdelingen die het bedrijf heeft.

Ze heeft het de laatste tijd behoorlijk druk en vooral als er bezoek is voor de grote baas zelf die de laatste tijd liever geen bezoek wil ontvangen. Sinds zijn vrouw twee jaar geleden is overleden aan een ernstige ziekte, gaat het niet goed met hem. Mirjam heeft dan haar handen vol om alles in goede banen te leiden. Ze wordt wel geassisteerd door een medewerker, maar draagt de verantwoordelijkheid als hoofd van haar afdeling.

Na een uurtje komen de drie heren terug uit het kantoor. Ze geven Mirjam een hand en bedanken haar dat ze heeft geregeld dat haar baas hen heeft willen ontvangen.

Als de telefoon opnieuw gaat ziet ze dat Theo Verschoot haar belt. Ze neemt direct wat belangrijke papieren mee die hij nog moet ondertekenen en klopt op de deur van zijn kantoor. Ze hoort duidelijk zijn 'ja'.

'Kom binnen, Mirjam,' zegt Theo vriendelijk.

'Zal ik eerst de kopjes opruimen, meneer?' vraagt Mirjam.

'Nee, laat maar staan.'
'Oké.'
'Dat woord wil ik niet meer horen. Het lijkt wel een soort stopwoord tegenwoordig. Je hoort het bijna in elke zin, als je met iemand praat. Wij gebruiken dat woord alleen maar als we iets goed vinden, maat je hoort niets anders dan "oké" en nog eens "oké",' bromt Theo.
'Wat kan ik voor u doen, meneer?'
'O ja, ga maar even zitten.'
Mirjam gaat tegenover hem zitten en kijkt naar hem. Hij is halverwege de veertig, maar ziet er nog jong en knap uit. Hij heeft alleen wat grijze haren aan de slapen.
'Ik heb die heren een goed bod gedaan. Ze kunnen geen geld meer krijgen van de bank en zitten behoorlijk in de problemen. Wij kunnen dat bedrijf er goed bij hebben. Het is vroeger altijd een goed bedrijf geweest en dat gaan wij er weer van maken. Waarom vertel ik jou dit, zal je denken?'
'Nou ja, ik zal er wel mee te maken krijgen als u die zaak overneemt.'
'Juist. Heb je zin om vanmiddag mee te gaan naar dat bedrijf? Twee weten meer dan één.'
'Maar u neemt toch meestal meneer De Korte mee, als u zaken gaat doen?'
'Dat klopt ja.'
Het blijft even stil.
'Toch zal ik het op prijs stellen als jij meegaat. Jij lijkt me meer geschikt om me te helpen met zaken doen dan achter die balie te zitten. Vrouwen doen het vaker beter dan mannen, heb ik ervaren.'
'Maar ik heb helemaal geen ervaring met zaken doen, alleen de administratie en zo,' antwoordt Mirjam verlegen.
'Dat leer ik je wel. Jij hebt mijn vrouw nog gekend...'
'Dat is zo, ja...'

'Zij ging altijd met me mee op zakenreis. We hebben samen over de hele wereld zaken gedaan. Aan haar heb ik te danken dat we zo groot zijn geworden. Ze was een pittige vrouw en iedereen had ontzag voor de manier waarop ze de zaken aanpakte. Haar vader heeft vroeger deze zaak opgebouwd. Ze was de enige dochter. Toen ik met haar trouwde en hier in de zaak terechtkwam, heb ik steeds meer ontzag voor haar gekregen. Helaas, ze is er niet meer... Soms zie ik het niet meer zitten, ik mis haar, we deden alles samen en nu...' Theo Verschoot laat zijn hoofd zakken en veegt snel een traan weg.

'Maar, meneer...' wil Mirjam beginnen.

'Ach, Mirjam, je zult wel denken dat ik meer van je wil dan een goede samenwerking,' zegt Theo zacht.

'Nee... nee, dat denk ik helemaal niet.'

'Het is alleen maar een zakelijk aanbod, hoor. Heb je er zin in?'

'Hoe bedoelt u?'

'Met me meegaan op zakenreizen en me ondersteunen. Jij weet veel van ons bedrijf, de meeste zaken gaan door jouw handen.'

'Maar dat is heel wat anders dan uw vrouw vervangen, als het om zaken gaat,' antwoordt Mirjam geschrokken.

'Je zult er geen spijt van krijgen, kind. Het is veel interessanter dan de hele dag op zo'n duf kantoor zitten,' lacht Theo, als hij het ernstige gezicht van Mirjam ziet.

'Als u het per se wilt...'

'Je doet er mij een groot plezier mee. De laatste tijd... Nou ja, ik zie het als een uitdaging.'

'Hoe bedoelt u?'

'Om jou op te leiden om zaken te doen.'

'U moet er niet te veel van verwachten. Als secretaresse weet ik veel van de zaak, maar echt zaken doen, nee, daar heb ik geen kaas van gegeten,' antwoordt Mirjam eerlijk.

'Dat leer ik je snel genoeg,' glimlacht Theo terwijl hij opstaat, Mirjam een hand geeft en haar oprecht aankijkt. Hij houdt haar hand lang vast.

Mirjam ziet iets in zijn ogen dat haar verlegen maakt. Ze trekt haar hand uit de zijne en loopt zonder nog iets te zeggen weg.

Als Mirjam 's avonds thuiskomt en wat stil is aan tafel, vraagt haar moeder: 'Wil het niet zo goed op de zaak?'

'Prima. Ik krijg een andere baan,' antwoordt Mirjam kort.

'Maar je hebt toch een goede baan?' zegt haar vader.

'Ze wordt vast directeur,' plaagt Johan, haar broer van vijftien.

'Nou, je zit er niet ver naast,' lacht Mirjam verlegen.

'Hoe bedoel je dat?' vraagt haar vader die weet dat zijn dochter serieus is. Hij ziet dat er iets bijzonders moet zijn.

Mirjam legt haar vork en mes neer, kijkt haar ouders één voor één aan en zegt: 'Jullie weten dat meneer Verschoot al bijna twee jaar weduwnaar is.'

'O, ze gaat met de grote baas trouwen,' plaagt Johan opnieuw.

'Doe gewoon, joh,' zegt Mirjam terwijl ze een rood hoofd krijgt.

'Hou jij je grote mond!' bestraft zijn vader hem.

'Mirjam, ga verder.'

'U weet dat meneer Verschoot veel zakenreizen maakt en dat hij dat vroeger samen met zijn vrouw deed. Ik heb haar op de zaak nog een paar jaar meegemaakt.'

'Maar wat heeft dat met jou te maken?' vraagt haar moeder.

'Meneer Verschoot heeft me een voorstel gedaan.'

'En dat is...?'

'Of ik zijn vrouw wil vervangen wat het zakelijke betreft,'

antwoordt Mirjam. Het is even stil, alleen Johan zit wat gemeen te kijken.

'Maar hij heeft toch veel mensen met wie hij de zaken regelt?' vraagt haar vader.

'Dat is zo en hij gaat vaak alleen op reis en af en toe neemt hij meneer De Korte mee. Die is eigenlijk zijn rechterhand sinds zijn vrouw niet meer leeft.'

'Wat moet hij dan met jou?'

'Hij vindt dat ik geschikt ben om samen met hem zaken te doen. Hij wil mij ervoor opleiden en hij is gewend dat hij op zijn zakenreizen een vrouw bij zich heeft. Zakelijk gezien dan.'

'Laten we eerst eindigen en dan verder praten,' zegt vader Karel terwijl hij de Bijbel pakt. Dan leest hij een gedeelte en gaat voor in dankgebed.

'Jij gaat boven je huiswerk maken,' zegt Karel tegen Johan.

'Mag ik er weer niet bij zijn?' zegt Johan kwaad.

'Naar boven, snotneus!' antwoordt zijn vader kort.

Mirjam helpt haar moeder de tafel afruimen en haar vader pakt de krant.

Als ze samen met Mirjam de vaat in de afwasmachine doet, vraagt Anna voorzichtig: 'Jullie hebben toch op kantoor niet meer dan een zakelijk contact?'

'Mam, hoe durft u zoiets van meneer Verschoot en mij te denken?'

'Nou ja, je hoort vaak dat een directeur een relatie heeft met zijn secretaresse.'

'Maar dit is heel iets anders, mam!'

'Dat weet ik zo net nog niet.'

'Hoe komt u erbij?'

'Ik wil je alleen maar waarschuwen.'

Als Mirjam samen met haar moeder de kamer binnenkomt legt Karel de krant naast zich neer, kijkt zijn dochter aan en vraagt: 'Dus je gaat dan met hem op zakenreis?'

'Ja, is daar iets verkeerds aan?' vraagt Mirjam kort.
'Dat zou ik wel denken, ja.'
'Wat zijn jullie achterdochtig, zeg,' zegt Mirjam met tranen in haar ogen.
'Mirjam, je bent geen kind meer.'
'Dat heeft u goed. Ik ben vijfentwintig en weet heus wel wat ik doe.'
'Maar, kind, een weduwnaar en zo'n jonge meid als jij...! Jullie overnachten zeker in hotels als jullie in het buitenland zijn? Toen Verschoot vroeger met zijn vrouw op zakenreis ging was dat normaal,' legt Karel uit.
'Er zijn wel meer zakenlui die met hun secretaresse op zakenreis gaan. Trouwens, wat vindt u ervan als een politieagent en een agente avond- of nachtdienst hebben en samen in een politieauto rijden? En wat denkt u van het leger waar jongens en meisjes samenwerken?'
'Daar ben ik ook altijd tegen geweest en je hoort daar vaak rare dingen over,' antwoordt vader.
'Dus als het aan jullie ligt kan ik beter tegen meneer Verschoot zeggen: Het spijt me, maar mijn ouders zijn er op tegen.'
'Je bent oud en wijs genoeg om hier zelf een beslissing in te nemen.'
'Dat heb ik al gedaan. Ik ken meneer Verschoot al jaren. Hij heeft het nog steeds moeilijk met het verlies van zijn vrouw. Hij heeft een druk leven en laat nu te veel aan anderen over. Hij wil graag dat ik hem help. Is dat zo vreemd?'
'Moet hij daar per se een vrouw voor nemen? Hij kan toch beter met meneer De Korte op zakenreis gaan?'
'Hij vindt dat vrouwen beter zaken doen en wil me een kans geven.'
'Toch keur ik het af,' houdt vader vol.
'Dan ben je zeker niet elke avond thuis?' vraagt moeder.
'Nee, als we in het buitenland zijn zal dat niet lukken. Soms

is meneer Verschoot weken op zakenreis. Dat deed hij vroeger met zijn vrouw ook. Jullie zoeken overal het verkeerde achter in plaats dat jullie blij zijn dat ik een goede baan krijg, over de hele wereld ga reizen en veel geld ga verdienen.'

'Eenvoud siert de mens,' antwoordt moeder ernstig.

'Jullie zijn gewoon te bekrompen. Ik ben vijfentwintig jaar en maak zelf wel uit hoe ik mijn leven indeel. Anderen van mijn leeftijd wonen in een eigen flatje. Het lijkt me verstandig dat ik dat ook maar ga doen,' zegt Mirjam kwaad.

'Je moet dankbaar zijn.'

'Waarvoor?'

'Dat je moeder alles voor je doet. Als je op jezelf woont hoef je niet met de was en zo naar je moeder te komen,' zegt Karel kwaad.

'Jullie zijn ouderwets.'

'Mirjam, wat is ouderwets?'

'Veel van mijn vrienden en vriendinnen wonen samen en jullie zeuren als ik met mijn directeur op zakenreis ga en doen net of ik met hem slaap.'

'Daar is maar weinig voor nodig.'

'U weet niet wat u zegt. Het is maar goed dat meneer Verschoot niet weet hoe jullie over hem denken.'

'Je kerkgang zal ook wel achteruit gaan als je in het buitenland bent. Volgens mij doet die Verschoot nergens aan, dus zal hij op zondag ook wel zaken doen.'

'Daar ben ik zelf bij,' antwoordt Mirjam kort.

'De wereld is aantrekkelijk, kind.'

'Wat is daar verkeerd aan?'

'Denk jij alleen maar aan een mooie baan en geld verdienen?' vraagt haar vader.

'Goed, dan zal ik zeggen dat mijn ouders er tegen zijn en neem ik ontslag. Ik weet heus wel waarom jullie zo denken over meneer Verschoot.'

'En dat is...?'

'Omdat hij nergens aan doet. Zijn vrouw is gecremeerd in plaats dat ze begraven is, terwijl er geen predikant bij aanwezig was.'

'Daar heb je gelijk in. Wij zijn tegen cremeren. Een mens hoort tot de aarde terug te keren. Zo staat het ook in Gods Woord,' antwoordt Karel.

'Dus u denkt dat cremeren niet mag?'

'Daar ben ik van overtuigd.'

'Ik zie er niks verkeerds in,' antwoordt Mirjam opstandig.

'De mensen zijn bang om begraven te worden en denken dat ze, als ze verbrand worden, in ieder geval niet zolang in de aarde hoeven te liggen. Waarom zouden ze zich anders laten verbranden?'

'U praat wel erg dom. Het is juist goed dat mensen zich laten cremeren. Er is bijna geen ruimte meer om al die mensen te begraven en het is ook erg voordelig, zegt men.'

'Kind, kind, je weet niet wat je zegt en waar je het over hebt,' zegt moeder geschrokken.

'Dat weet ik heel goed. Jullie denken dat mevrouw Verschoot niet in de hemel kon komen, omdat zij zich heeft laten cremeren.'

'Dat zal het ergste niet zijn. Ze heeft niet geleefd naar Gods Woord,' antwoordt Karel.

'En u denkt dat wij dat wel doen omdat wij elke zondag netjes twee keer naar de kerk gaan, uit de Bijbel lezen en bidden. Weet u of mevrouw Verschoot niet vaak een zucht heeft gelaten naar de Heere of misschien in stilte gebeden heeft tot God? Jullie oordelen te snel en dat mag ook niet.'

'Wij oordelen niet over mensen, dan zal God Zelf doen op Zijn tijd en zo lang wij hier op aarde mogen leven is er nog genadetijd voor een mens.'

'Laten we er maar over ophouden en ieder mens vrij laten in zijn doen en denken,' antwoordt Mirjam.

'Toch behoren wij onze kinderen op te voeden naar Gods Woord. We hebben jou ten doop gehouden en je hebt later belijdenis van het geloof gedaan. Dat mag je niet vergeten, Mirjam.'

'Wat doe ik dan verkeerd? Jullie doen net of ik met meneer Verschoot in zonde ga leven. Ik weet heus wel wat er te koop is op deze wereld.'

'Toch moet je er nog maar eens ernstig over nadenken. Wij hopen dat je gewoon op kantoor blijft werken en niet met een weduwnaar op zakenreis gaat. Laat dat maar aan meneer Verschoot en meneer De Korte over,' zegt Karel terwijl hij zijn krant weer oppakt en zich een diepe zucht laat ontglippen.

Mirjam staat op en gaat zonder wat te zeggen naar boven naar haar kamer. Ze gaat op bed liggen met haar kleren nog aan en denkt aan het gesprek met meneer Verschoot en hoe haar ouders erop reageren. Wat moet ze nu doen? Morgen zal meneer Verschoot het aan haar vragen.

2

Mirjam heeft samen met meneer Verschoor al een paar zakenreizen gemaakt en leert zo met zakenmensen omgaan. Vaak gaat het om grote zaken en veel geld. Ze heeft nooit gedacht dat de zakenwereld zo hard en gemeen kan zijn, maar meneer Verschoot ziet al snel met wat voor mensen hij te maken heeft. Hij koopt of verkoopt pas als hij alles goed heeft laten onderzoeken door zijn medewerkers.

Als Mirjam van een zakenreis terugkomt op kantoor en achter het bureau van mevrouw Verschoot zit, voelt ze zich vaak niet op haar gemak. Mensen met wie ze vroeger goed overweg kon op kantoor laten merken dat ze afstand houden. Ze is nu de rechterhand van de grote baas. Zelfs meneer De Korte, die na de dood van mevrouw Verschoot samen met Theo alle zaken deed, voelt zich bedrogen en doet vaak kort tegen Mirjam. Ze heeft het daar moeilijk mee. Ze laat niks merken aan meneer Verschoot, maar hij is een mensenkenner. Hij voelt het aan en vraagt op een dag als ze druk bezig is op kantoor: 'Mirjam, heb je het wel naar je zin in je nieuwe functie?'

'Zeker weten, anders was ik er niet aan begonnen.'

'Toch is er iets met je. Zeg het maar eerlijk.'

'Ik weet niet wat u bedoelt, meneer.'

'Kun je niet meer zo goed met je collega's overweg?'

'Nou ja...'

'Heb ik gelijk of niet?'

'De meeste collega's houden wat afstand. Ik ben niet meer zo vaak op kantoor en als ik er wel ben zit ik hier apart. Ik heb dus weinig contact met ze.'

'Heb je er spijt van?'

'Hoe bedoelt u?'

'Dat je die baan hebt aangenomen en niet meer de hele dag achter de balie zit en kantoorwerk doet.'

Mirjam kijkt Theo Verschoot aan en vraagt: 'Waarom heeft u mij voor deze baan gevraagd?'

Theo gaat op de rand van haar bureau zitten en kijkt haar aan zonder wat te zeggen.

Mirjam slaat haar ogen neer. Dan staat Theo op, loopt naar het raam en kijkt vanuit het hoge kantoorcomplex over de stad. Mirjam vindt hem wat vreemd als hij daar zo voor het raam staat met de rug naar haar toe en niets zegt. Ze heeft hem goed leren kennen. Ze zit nu zelfs achter het bureau van zijn overleden vrouw in hetzelfde kantoor als waar Theo zijn bureau heeft staan. Ze werken nu al een tijdje samen en ze ziet in hem een vlotte zakenman die de touwtjes van zijn bedrijf goed in handen heeft, maar nu hij daar zo met zijn gebogen rug naar haar toe staat en haar geen antwoord geeft, is hij niet de vlotte zakenman Theo Verschoot die ze heeft leren kennen.

Ze staat op, gaat achter hem staan en vraagt opnieuw: 'Waarom heeft u per se mij uitgekozen en niet meneer De Korte die veel meer ervaring heeft dan ik?'

Theo Verschoot draait zich om. Mirjam ziet dat zijn ogen nat zijn. Ze slaat snel haar ogen neer.

Theo haalt een zakdoek uit zijn zak, snuit zijn neus, gaat achter zijn bureau zitten, legt zijn armen op het bureau en laat zijn hoofd erop rusten.

Mirjam weet niet wat ze hiermee aan moet. Ze gaat dicht bij hem staan, legt haar hand op zijn schouder en vraagt: 'Kan ik u ergens mee helpen?'

Theo Verschoot richt zijn hoofd op. Mirjam ziet dat zijn gezicht nat is van tranen. Dan krijgt zij het ook moeilijk. Ze durft hem niet aan te kijken en zou het liefst snel weg willen rennen. Is dit haar baas, de doorgewinterde zakenman die geen zaak te veel was en meestal bij een zakengesprek respect afdwong? Nee, dit is niet de Theo Verschoot die ze kent.

Dan zegt hij zacht: 'Je vroeg waarom ik jou op de plaats van mijn overleden vrouw wil hebben...'

Mirjam knikt verlegen.

'Mirjam, je doet me steeds aan haar denken. Je hebt hetzelfde haar en dezelfde ogen. Zelfs herken ik vaak haar stem in jou.'

Mirjam geeft geen antwoord. Ze heeft in ditzelfde kantoor zijn vrouw een paar jaar meegemaakt. Ze moet zelf bekennen, nu ze dit hoort, dat het wel een beetje klopt, maar daar heeft ze nooit bij stilgestaan. Mevrouw Verschoot was een vlotte zakenvrouw, totdat die vreselijke ziekte haar lichaam sloopte.

'Je zult het niet begrijpen, maar toch is het zo, Mirjam. Je mag er ook niks verkeerds achter zoeken.'

'Dat heb ik nooit gedaan,' antwoordt Mirjam eerlijk.

'Toch is dit de oorzaak dat het personeel zo tegen je doet.'

'Hoe bedoelt u?'

'Ze denken dat ik jou... nou ja... dat wij een soort verhouding hebben.'

'Maar dat is toch niet zo?'

'Nee, Mirjam. Ik zie jou meer als mijn dochter. Mijn vrouw kon ook goed met jou overweg toen ze nog hier werkte.'

'Ja, uw vrouw was altijd erg aardig tegen me.'

'Je zult je wel afvragen waarom ik nu zo overstuur ben en me zo heb laten gaan.'

Mirjam knikt en ziet dat zijn ogen opnieuw nat worden.

'Ik loop al een tijdje in het ziekenhuis bij dezelfde arts bij wie mijn vrouw regelmatig kwam. Hij heeft bij mij een kwaadaardige tumor ontdekt...' zegt Theo emotioneel.

'Maar u bent helemaal niet ziek! U doet uw werk en we hebben pas nog een zakenreis gemaakt. Is het wel zeker?'

'Ja, Mirjam, het is zeker.'

'Ze kunnen u toch opereren of zo?'

'Nee, het zal mijn lichaam slopen. Nu krijg ik nog wat

bestralingen en medicijnen en daarmee red ik het nog wel een tijdje.'

'Kunnen ze die tumor niet weghalen?'

'Nee, het is al te ver, net als bij mijn vrouw.'

'Maar... maar hoe moet het dan verder?' vraagt Mirjam bewogen.

'Toen ik jou voor deze baan vroeg wist ik al, dat het er niet best uitziet voor me. Je weet dat mijn vrouw en ik geen kinderen hebben, dus zal er geen opvolger zijn...' Verder komt Theo niet.

'Maar u kunt misschien nog wel lang leven. Misschien valt het allemaal wel mee en maakt u zich te veel zorgen,' probeert Mirjam.

'Nee, Mirjam, hoe lang ik nog te leven heb, dat weten de artsen niet. Het kunnen maanden en ook jaren zijn. Deze ziekte zal mijn lichaam langzaam slopen.'

Mirjam weet niet wat ze verder moet zeggen, als ze achter haar bureau is gaan zitten.

'Je zult je wel afvragen waarom ik het je niet eerder heb verteld.'

'Weet niemand het hier op de zaak?' vraagt Mirjam.

'Jij bent de eerste aan wie ik het vertel.'

'Maar hoe moet het dan verder? Verkoopt u het bedrijf en vertelt u het daarom nu aan mij?'

'Nee, Mirjam, dat zal zeker mijn dood bespoedigen. Dit bedrijf heb ik samen met mijn vrouw groot gemaakt. Toen ik hier kwam werken was het nog klein. Zoals je weet hebben we nu over de hele wereld onze vestigingen. Op elk daarvan heb ik een goede, betrouwbare bedrijfsleider zitten. Jij weet daar al veel van. De laatste maanden hebben we samen de grootste bedrijven bezocht. Je was er zelf vol lof over en dat heeft me goed gedaan.'

'Daar heeft u gelijk in. U heeft alles goed voor elkaar.'

'Er zijn wel mensen binnen ons bedrijf die het zo van mij zouden kunnen overnemen. Meneer De Korte bij voorbeeld, die sinds de dood van mijn vrouw veel werk heeft overgenomen. Ik heb hem pijn gedaan door jou op deze plaats te zetten, maar dat zou mijn vrouw ook gewild hebben. Zij zag jou ook als een dochter. Weet je dat niet?'

'Nou ja, ik kon erg goed met uw vrouw opschieten.'

'We hebben het samen vaak over je gehad, vooral toen mijn vrouw ernstig ziek was.'

'Maar waarom over mij?' vraagt Mirjam verbaasd.

'Je was een eerlijk, eenvoudig meisje en daar hield mijn vrouw van. Mijn vrouw was snel jaloers, maar van jou kon ze alles hebben. Ze noemde jou altijd het kind van ons kantoor. Daar moet ik vaak aan terugdenken en dat is soms moeilijk voor me...'

'Maar daar wist ik helemaal niks van...'

'We hebben dat ook niet laten merken.'

'Dus om uw vrouw heeft u mij deze baan gegeven?'

'Dat niet alleen. Je bent er gewoon geschikt voor en je hebt kwaliteiten die je zelf onderschat.'

'U gaat nu wel een beetje ver, meneer.'

'Nee, echt niet. Je hebt het of je hebt het niet. Zo is dat gewoon. Je bent vlot en spreekt veel talen vloeiend. Wat dat betreft ben je meneer De Korte de baas. Je hebt bovendien het voordeel dat je een jonge, knappe verschijning bent en respect bij anderen afdwingt.'

'Nou...' zegt Mirjam verlegen.

'Ik meen het echt, Mirjam. Jij hebt een bijzondere gave en hoort in dit bedrijf als geen ander thuis.'

'Dank u, meneer Verschoot. U moet nu echt niet verder gaan, anders word ik nog hoogmoedig.'

'Over hoogmoedig gesproken: als je het verschil tussen jou en meneer De Korte ziet weet je gelijk wat hoogmoedig is.'

'Hoe bedoelt u dat?'

'De Korte kan tegenover het personeel en andere zakenmensen wat hoogmoedig overkomen en soms maakt hij misbruik van zijn positie en laat dan merken dat hij het mannetje hier is, behalve tegen mij natuurlijk. Dat kan in het zakenleven wel eens een struikelblok zijn. Je moet gewoon jezelf blijven en nooit laten merken dat je boven iemand staat. Als je zaken doet moet je op dezelfde hoogte gaan zitten als je tegenstander. Je leert dan die ander ook beter kennen en dan kun je goed zaken doen. Je moet eerst het vertrouwen van je tegenstander winnen, dan heb je al veel gewonnen. Kijk, dat heb jij en dat waardeer ik in jou. Als ik een ander deze baan zou hebben gegeven, en jij kent ze op kantoor beter dan ik omdat je met de meeste medewerkers hebt samengewerkt, dan weet je net zo goed als ik dat een ander naast zijn schoenen zou zijn gaan lopen van hoogmoed. Jij bent dezelfde gebleven.'

'Dat zal wel meevallen,' antwoordt Mirjam verbaasd.

'Je weet net zo goed als ik, dat de meeste collega's jaloers op je zijn en je deze baan niet gunnen. Heb ik het goed?'

'Nou ja, deze baan is ook niet niks.'

'Je bent er geschikt voor.'

'U zegt het...'

'Ik kan het na zoveel jaar weten. Denk je niet?'

'U bent een groot zakenman en heeft veel mensenkennis. Dat heb ik tijdens de laatste zakenreis met u wel gemerkt.'

Theo Verschoot gaat staan, kijkt Mirjam aan en vraagt: 'Heb je vanavond tijd, ik bedoel: ben je vrij?'

'Bedoelt u dat ik mee moet voor een zakenbezoek? Natuurlijk maak ik me daar vrij voor, zoals u weet.'

'Nee, dat is het niet. Wil je vanavond bij mij thuis komen om het een en ander door te praten tijdens een gezellig etentje?'

'Nou ja, waarom niet?' antwoordt Mirjam vlot.

Ze is wel eens vaker in het grote herenhuis geweest. Er is altijd personeel. Ze is dus nooit alleen met hem en ze heeft vertrouwen in haar baas. Ze hebben op zakenreizen al zo vaak samen gedineerd en sliepen in een hotel op aparte kamers. Meneer Verschoot is een echte heer wat dat betreft. Ze heeft ook nooit verkeerde gedachten over hem gehad en zeker niet nu ze weet dat hij een ziekte bij zich draagt. Toch vraagt ze: 'Wilt u ergens over praten?'

'Eigenlijk wel en het lijkt me bij mij thuis een geschiktere plaats dan hier op kantoor. Er wordt al genoeg over ons gekletst.'

'Dat zal wel meevallen,' antwoordt Mirjam terwijl ze een beetje kleurt. Hoe laat wilt u dat ik er ben?'

'Kun je zo tegen acht uur bij me zijn?'

'Dat zal wel lukken.'

'Dan zou ik thuis maar niet veel eten, want ik laat iets lekkers klaarmaken. Mijn keuken is beter dan die van een of ander hotel,' grapt Theo Verschoot.

Mirjam rijdt in haar auto naar huis. Als ze achterom de keuken binnenloopt en haar moeder druk bezig ziet met koken en de lucht van knoflook ruikt, knijpt ze gelijk haar neus dicht en zegt: 'Ma, nee, hè? Toch geen knoflook vandaag?'

'Wat is daar mis mee? Je was er altijd zo gek op. Ik dacht: lekker knoflook erbij voor Mirjam. Je eet al zo vaak buiten de deur als je op reis bent.'

'Vanavond eet ik ook ergens anders, ma.'

'Omdat je bang bent voor de lucht van knoflook?'

'Nee, ik heb om acht uur een afspraak om ergens een hapje te eten en dan kan ik beter niet eerst hier eten en zeker geen knoflook.'

'Het is nog lang geen acht uur. Je eet eerst wat met ons me. Zo'n diner in een restaurant ken ik wel: een paar aardappeltjes, wat erwtjes en een stukje vlees en de rest is versiering. Als ik met je vader uit eten ga, en dat gebeurt niet vaak, dan eet hij ook de versiering van mijn bord op en als we thuis komen duikt hij gelijk de koelkast in van de honger. Het is geen wonder dat je steeds magerder wordt. Toen je nog gewoon op kantoor zat zag je er veel beter uit, of doe je aan de lijn?'

'Nee, ma, ik ben nu meer in beweging. Vroeger zat ik bijna de hele dag op een stoel achter een computer. Alleen als er klanten kwamen moest ik die naar meneer Verschoot brengen.'

Zonder nog wat te zeggen gaat Mirjam naar haar kamer. Ze heeft maar even in de keuken gestaan en nu ruiken haar kleren al naar knoflook.

Ze gaat zich eerst douchen, maar kleedt zich nog niet om vanwege die knoflooklucht in huis. Ze vindt het heerlijk, maar niet als ze ergens heen moet. Als ze beneden komt, is vader ook al thuis van zijn werk. Mirjam groet hem en gaat op de bank zitten.

'Hoe gaat het op de zaak, mevrouw de directeur?' plaagt vader.

'Pa, doe gewoon.'

'Volgens mij ben je wel lid van de directie, als ik het goed heb gehoord.'

'Wat heeft u dan gehoord?'

'Jullie hebben dat transportbedrijf overgenomen en een kennis van me werkt daar. Hij heeft jou samen met meneer Verschoot gezien.'

'O, kent u een van die mensen?'

'Je vader werkt op de bank, weet je nog?' antwoordt Karel.

'O ja. Maar u heeft toch een beroepsgeheim?'

'Dit is geen geheim. Het heeft zelfs met grote letters in de krant gestaan: Firma Verschoot neemt transportbedrijf Ganzen over.'

'Dat zou kunnen, ik heb het niet gelezen,' antwoordt Mirjam die met haar gedachten heel ergens anders is.

'Aan tafel,' zegt moeder.

'Heerlijk, knoflook!'

'Ja, het hele huis stinkt ernaar en zo meteen ruiken wij ook uit onze mond. Dat is wel een nadeel, Mirjam,' plaagt broer Johan.

'Ik eet ergens anders,' antwoordt Mirjam.

'Zie je wel, ze is bang dat ze naar knoflook ruikt. Ze heeft vast een vriend. Dan moet je het juist eten. Misschien valt hij door die lucht dan wel voor je op zijn knieën,' gaat haar broer verder.

Mirjam geeft geen antwoord.

'Waarom eet je niet met ons mee?' vraagt vader.

'Ik dineer vanavond met meneer Verschoot,' antwoordt Mirjam.

'Zeker een zakendiner?' vraagt haar vader.

'Zoiets,' antwoordt Mirjam kort terwijl ze op de bank een blad leest.

Als ze klaar zijn met eten, staat Mirjam op en gaat naar boven om zich om te kleden.

Als ze beneden komt gaat ze snel de keuken door en roept: 'Tot vanavond, ik weet niet hoe laat het wordt.'

'Dat weet je nooit bij zakenlui,' roept Johan die best trots is op zijn zus die een goede baan heeft en veel reizen maakt.

3

Als Mirjam de brede oprijlaan oprijdt is er een soort angst in haar. Ze gaat zomaar naar dat grote herenhuis waar haar directeur woont, maar hij heeft haar toch zelf uitgenodigd. Waarom...? Mag ze dit wel doen? Hoe zouden de mensen erover denken en vooral de mensen van hun bedrijf? Is ze niet bang voor iets dat ze niet kent? Hij is ernstig ziek, heeft hij haar verteld. Zijn vrouw is aan dezelfde ziekte overleden. Ze heeft echt zijn tranen gezien. Hij is zo anders geworden of ligt het aan haarzelf?

Ze komt er niet uit. Toch voelt ze dat ze dichter naar hem toegegroeid is en dat de afstand directeur-secretaresse er niet meer is. Ze gaan meer met elkaar om als collega's.

Vanmiddag had ze echt medelijden met hem toen hij vertelde over zijn ziekte en hij zich liet gaan en zij hem wilde troosten. Toen keek hij haar zo liefdevol aan... Soms... Nee, hij is al vijfenveertig en zij vijfentwintig...

Hoe kun je zo iets in je hoofd halen? denkt ze.

Toch voelt ze iets dat er nooit eerder is geweest. Ze heeft vaker een vriend gehad, maar het is nooit tot echte liefde van haar kant gekomen.

Meneer Versloot kon bijna haar vader zijn... Nee, ze moet zich niet zulke rare gedachten in haar hoofd halen.

Ze parkeert haar auto voor het huis en stapt uit. Als ze de trap op wil gaan naar het bordes gaat de deur al open en komt Theo haar tegemoet.

'Zo, ben je daar? Kom maar snel naar binnen voor je kou vat. Het is echt koud buiten.'

'Dat valt wel mee,' antwoordt Mirjam vlot.

Hij pakt haar jas aan en legt zijn hand op haar schouder. Het is zo anders dan op kantoor. Ze heeft zich niet in het donkere mantelpakje gestoken, zoals het hoort bij haar functie. Ook hij heeft een vlotte trui en ribbroek aan. Het is nu allemaal zo heel anders. Hij heeft niks meer van haar directeur die ze begeleidt op zijn zakenreizen. Dan heeft hij altijd een donker pak aan en ook op kantoor loopt hij in een driedelig kostuum.

'Zal ik je voorgaan?'

'Dat is goed.'

Ze lopen door de grote hal met een marmeren vloer waarop haar hakjes behoorlijk tikken. Dan komen ze in een grote kamer die vol staat met dure meubelen en grote boekenkasten aan de wand die behoorlijk gevuld zijn met boeken van geleerde schrijvers. Er is een grote zithoek bij de open haard die heerlijk brandt. Er branden veel kaarsen, terwijl het nog niet donker is.

'Neem een makkelijke zit bij het haardvuur.'

'Ja, dank u.' Mirjam gaat in een van de grote stoelen zitten waarin ze helemaal wegzakt.

'Wat wil je drinken?'

'Graag koffie.'

'Goed, dan ga ik die eerst voor ons inschenken.'

'Zal ik het even doen?' zegt Mirjam terwijl ze opstaat. Ze is op kantoor gewend koffie voor haar directeur in te schenken.

'Nee, niks daarvan, je bent nu mijn gast.'

Ze ziet dat hij naar een soort bar loopt aan het einde van de kamer waar allemaal flessen met allerlei dranken staan en aan de wand een kast met glazen.

Even later komt hij met twee kopjes koffie naar haar toe en gaat tegenover haar zitten.

De open haard geeft een heerlijke warmte en de koffie ruikt heerlijk. Toch voelt Mirjam zich niet op haar gemak. Ze is al heel wat gewend sinds ze een andere functie bekleedt en veel met haar directeur op reis gaat, maar het is nu allemaal zo anders. Zij, het eenvoudige meisje dat op kantoor begon, en nu hier in een groot herenhuis zit, samen met haar directeur.

Het is zo vreemd voor haar. Op kantoor is er een soort afstand, maar nu haar baas hier zo zit met een trui en een sportieve broek aan en zonder stropdas, lijkt hij meer op een vlotte jongeman. Ze voelt zich steeds minder op haar gemak. Waarom zit ze hier...?

Ze neemt een slok koffie.

Dan kijkt Theo Verschoot haar ernstig aan en vraagt: 'Hoe vind je het hier?'

'Geweldig! Wat heeft u een prachtig huis!'

Dan slaat hij zijn ogen neer en zegt met een zachte stem: 'Je hebt gelijk, het is een prachtig huis. Jammer dat ik er zo weinig van heb genoten.'

'Hoe bedoelt u?'

'Ik slaap en woon meer in hotelkamers of werk op kantoor en ook mijn vrouw heeft hier niet echt geleefd. We waren altijd op zakenreis en genoten niet echt van onze rijkdom. Het bedrijf heeft ons altijd helemaal in beslag genomen.'

'Maar uw vrouw was de laatste tijd van haar leven toch ziek?'

'Ja, toen was het te laat. Ze lag hier meer op bed dan dat ze kon genieten van het huis en de mooie tuin. Ze heeft ook een tijd in het ziekenhuis gelegen.'

'U mist haar zeker nog erg?'

'Het is alweer twee jaar geleden. Ik praat nooit over mijn verleden,' antwoordt hij dan kort.

'U heeft een goede vrouw gehad en dat is iets om dankbaar voor te zijn.'

'Ja, gehad, net wat je zegt. De zakelijke wereld nam ons leven in beslag. We hadden weinig tijd voor elkaar. Zij was geen vrouw zoals jij hier nu zit. Ze was altijd bezig. Ze had net als ik hier in huis een eigen kantoor. Als we niet op reis of op de zaak waren, dan waren we hier op kantoor bezig om nog wat zaken te regelen, totdat...'

Nu laat Theo zijn hoofd zakken en is het een tijdje stil.

'Jullie waren te druk en hadden veel aan jullie hoofd omdat de zaak jullie leven was.'

'Dat is zo. Toch heb ik me er vaak schuldig over gevoeld.'

'Dat hoeft toch niet?'

'Toch wel. We hadden meer van het leven kunnen genieten. Zoals wij hier nu samen koffie zitten te drinken, dat kwam zo weinig voor.'

'Dat zullen jullie toch ook wel eens gedaan hebben en zeker zondags. Dan werkten jullie toch niet?'

'Ik weet wat je bedoelt. Jij bent een christen en Gods Woord zegt: "Zes dagen zult gij arbeiden en de zevende dag is de rustdag." Zeg ik het goed?'

'Werkten jullie zondags dan ook?'

'We konden niet anders.'

'Maar dat wilden jullie toch zelf?'

'Daar heb je gelijk in. Jammer dat ik haar dat heb aangedaan.'

'Maar zij wilde het zelf toch ook zo?'

'Ja, het was werken en nog eens werken. En dat allemaal omdat je een eigen bedrijf hebt dat steeds groter wordt en je steeds meer in beslag neemt, totdat een ziekte je een halt toeroept. De dagen na de dood van mijn vrouw was alles zo leeg in me. Ik slikte pillen maar het beste medicijn was voor mij werken en nog eens werken. Het werk moest doorgaan. Wat ik samen met mijn vrouw heb opgebouwd moest ik handhaven. De zaak had mij in de ban totdat... Je weet dat ik zelf ook ziek ben en volgens de artsen niet meer beter kan worden.'

'Weet u dat wel zeker?'

'Wat is zeker?' antwoordt Theo.

'Misschien heeft u nog lang te leven,' antwoordt Mirjam voorzichtig.

'Wil je nog koffie?'

'Nee, ik drink meestal 's avonds één kopje. We drinken overdag al veel koffie, zoals u weet.'

'Inderdaad. Je raakt eraan verslaafd. Het leven van een zakenman of -vrouw kan hard en kort zijn.'

'Dat moet u zeggen. U heeft mij erin gehaald.'

'Daar heb je gelijk in.'

Het is een tijdje stil totdat Theo opstaat, naar de bar loopt, een fles wijn opent en twee glazen pakt.

'Drink je mee?'

'Zal ik dat wel doen? Ik moet nog rijden.'

'Dan breng ik je wel naar huis,' lacht Theo.

'Dan mag u niks drinken.'

'Ach, wat maakt het uit of je met alcohol achter het stuur zit of met veel medicijnen in je lichaam. Je moet gewoon weten hoe ver je gaan kunt. De ene mens kan meer hebben dan de ander. Als ik vroeger een glas wijn op had dacht ik niet meer: 'Theo, je moet je verstand gebruiken,' als ik bij een slimme zakenrelatie zat die steeds opnieuw een glas inschonk. Ik heb geleerd dat je pas moet drinken, als je zaken hebt gedaan. Daarvoor neem ik nooit een druppel alcohol,' legt Theo uit.

'Dat is flink van u.'

'Nou ja, flink... Soms moest ik wel eens naar een zaak en had ik zin om me eerst vol te gieten.'

'Echt waar?'

'Ja, maar ik deed het niet.'

Theo schenkt de glazen vol en neemt een slok uit zijn glas.

'Dit is goede wijn. Proef maar eens.'

Mirjam neemt een slokje wijn en knikt.

'Heb je thuis nog gegeten?'

'Nee, u zou voor een maaltijd zorgen.'

'Dat heb je goed. Kom, dan gaan we naar de eetkamer,' zegt Theo terwijl hij opstaat en haar voorgaat. Hij opent een van de deuren en laat Mirjam voorgaan.

Ze weet niet wat ze ziet: een grote, ronde tafel gedekt met een prachtig kleed met borden en bestek en drie brandende kaarsen.

Hij schuift een stoel voor haar aan en gaat dan zelf tegenover haar zitten. Dan komt er een man binnen die vraagt wat ze willen drinken.

'Nou, dat weet je volgens mij wel,' antwoordt Theo.

'Dezelfde wijn, meneer, en mevrouw ook?'

'Ja, graag,' antwoordt Mirjam verlegen.

Na de wijn wordt er soep opgediend en daarna volgen allerlei soorten vlees en aardappelen met groenten.

'Zeg maar wat je wilt, Mirjam,' zegt Theo.

'Ik kan zelf wel opscheppen,' lacht ze wat nerveus.

'Zoals je wilt.'

Mirjam eet bescheiden en neemt af en toe een slokje wijn. Ze merkt dat de wijn pittig is, maar het eten smaakt haar goed.

Na een uurtje staat Theo op en vraagt of ze nog een nagerecht wil.

'Nee, alstublieft niet. Ik heb al zo veel gegeten.'

'Goed, dan gaan we weer in de kamer zitten, daar is het gezelliger.'

Als ze in de grote woonkamer zitten en Theo hun glazen weer vult, zegt Mirjam: 'Ik heb al te veel wijn gedronken.'

'Ben je mal, ik breng je zo naar huis.'

'Nee, liever niet.'

'Mag ik je een persoonlijke vraag stellen, Mirjam?'

'Dat ligt er aan,' antwoordt Mirjam die zich wat vrijer voelt nu ze een paar glazen wijn op heeft.

'Heb je verkering of een vriend?'

'Nee, waarom vraagt u dat?'

'Nou, je bent al vijfentwintig en een knappe verschijning.'

Mirjam bloost en antwoordt: 'Ik heb wel een vriend gehad.'

'Ben je nooit echt verliefd geweest?'

'Nee, niet echt.'

'Ik ben al op mijn tweeëntwintigste met mijn vrouw getrouwd.'

'En jullie hielden nog steeds van elkaar?'

'Als wij er tijd voor hadden wel.'

'Gaat u nu meer van het leven genieten?' vraagt Mirjam dan zomaar.

Theo kijkt haar verbaasd aan en antwoordt met zachte stem: 'Daar is het nu te laat voor, Mirjam...'

'Daar is het nooit te laat voor. U weet niet hoe lang u nog mag leven.'

'Maar ik kan de zaak toch niet zomaar aan jullie overlaten? En...wat is genieten van het leven.?'

'Op vakantie gaan en lekker niks doen.'

'Als we op zakenreis zijn, is dat ook bijna een soort vakantie. Nee, ik zou niet weten wat echt vakantie is. Ik heb over de hele wereld gereisd, vaak samen met mijn vrouw. Nee, ik weet het echt niet. Zo gezellig een glas drinken en samen dineren in mijn eigen huis, dat heb ik de laatste tijd erg gemist. Dit had ik ook vaker met mijn vrouw moeten doen. Op het laatst leken we vreemden voor elkaar. Nee, ik weet niet echt wat genieten is...'

Dan laat Theo zijn hoofd zakken en houdt zijn handen voor zijn gezicht en snikt zachtjes.

Mirjam weet niet wat ze hiermee aan moet. Ze staat op, gaat achter zijn stoel staan, legt haar hand op zijn schouder en zegt zacht: 'Kan ik u ergens mee helpen?'

Theo schudt zijn hoofd en snikt: 'Het is allemaal te laat. Wat heb ik nog aan mijn leven? Ja, ik ben schatrijk in goederen en geld, maar hier van binnen is het leeg en eenzaam.'

'Het is nooit te laat om er nog wat van te maken.'

Theo pakt een zakdoek uit zijn broekzak en veegt zijn tranen af.

Hij gaat staan en kijkt haar aan met zijn grijze ogen en fluistert: 'Kon ik maar opnieuw beginnen, dan zou ik... Nee, dat mag ik niet zeggen en van jou verlangen...'

'Wat wilde u dan tegen mij zeggen? Zeg het maar gerust.'

Theo pakt Mirjam bij haar hand en kust die en blijft haar aankijken.

Mirjam voelt iets vreemds in zich opkomen. Ze zou hem graag willen omarmen en troosten. Ze wordt warm van binnen... of is het de wijn? Nee, ze kan er niet tegenop. Ze voelt zijn adem en dan is daar zijn andere hand die haar over haar wangen streelt en dan over haar lange, donkere haar gaat.

Voor ze het weet kust hij haar en fluistert: 'Mirjam, jij... jij alleen, wat zouden we gelukkig kunnen zijn, maar het is te laat... Nee, het kan niet,' zegt Theo met een emotionele stem, terwijl hij haar loslaat.

Mirjam blijft staan als een beeld. Ze weet niet wat ze ermee aan moet, als ze Theo weer ziet zitten met zijn handen voor zijn gezicht. Zou hij echt verliefd op haar zijn? Opnieuw staat hij op en zegt: 'Zal ik je maar naar huis brengen? Neem me niet kwalijk dat ik me even liet gaan. Ik ben de laatste tijd wat in de war en zie het niet meer zo zitten. Ik mis wat jij hebt, maar dat kan ik als zieke man van jou niet verlangen. Hoe haal ik het in mijn hoofd? Hoe ouder hoe gekker...'

Mirjam kan geen woord uitbrengen en staat daar nog steeds als een standbeeld.

'Nogmaals, Mirjam, het spijt me. Ik heb me door mijn gevoelens en verdriet laten gaan. Wil je het me vergeven?'

Mirjam knikt.

'Ik had je niet hierheen moeten laten komen. Ik dacht er een gezellige avond van te maken. We hebben het altijd netjes kunnen houden zolang je voor me werkt en nu heb ik het verpest.'

'Zo mag u niet denken.'

'Verklaar je me dan niet voor gek? Je had me in mijn gezicht moeten slaan en het huis uit moeten lopen. Waarom ben je niet kwaad op me?'

'Dat kan ik niet, ik weet zelf niet waarom...'

'Ach ja, ik ben je directeur en je bent bang je baan kwijt te raken en daar heb ik misbruik van gemaakt. Toch zeg ik je eerlijk: Mirjam, meisje, ik houd van je. Wil je het me vergeven?' vraagt Theo opnieuw.

'Vergeven wat?'

'Dat ik van je houd.'

'Daar is geen vergeving voor nodig.'

Dus je bent niet kwaad op me?'

'Het is voor mij moeilijk om nu...' Verder komt Mirjam niet, ze pakt haar tasje en loopt naar de hal om haar jas aan te trekken.

'Zal ik je naar huis brengen?'

'Nee, ik red het wel.'

'Neem je het me echt niet kwalijk wat er is gebeurd, Mirjam?'

'Nee, u heeft liefde nodig. Ik moet hierover nadenken...' antwoordt Mirjam terwijl ze snel de deur uitgaat en in haar auto stapt.

Ze ziet Theo, die er helemaal niks meer van begrijpt, bij de deur staan.

Zou ze...? Nee, ze is door zijn schuld en door de wijn wat in de war.

4

's Nachts kan Mirjam niet in slaap komen, steeds heeft ze het beeld van Theo voor ogen. In gedachten noemt ze hem zo, maar hij is voor haar nog steeds meneer Verschoot. Wat is er met haar aan de hand, of wat is er met Theo, met meneer Verschoot?

Hij is altijd een echte heer geweest en heeft nooit geprobeerd haar te verleiden. Ze heeft jaren bij hem op kantoor gewerkt. Hij was wel vaak op zakenreis. Toch is ze vaak alleen met hem op kantoor geweest en nooit is er van zijn kant een toespeling geweest en nu ineens... Hij heeft haar echt gezoend en ze vond het niet erg...

Theo is een knappe verschijning, al is hij twintig jaar ouder. Zou het komen door zijn ziekte? Hij kent veel zakenmensen waar ook veel knappe vrouwen van zijn leeftijd onder zijn. Waarom valt hij dan per se op haar? Ze weet van zichzelf dat ze een knappe verschijning is met haar lange, donkere haar en bruine ogen die vrolijk de wereld inkijken. Ze is lang en slank. Ze heeft alles mee om een man te verleiden, maar Theo Verschoot, haar eigen directeur... Ze heeft er nooit aanleiding toe gegeven en hij ook niet. Zou het dan toch komen door zijn ziekzijn? Zoekt hij bij haar troost, of is het echte liefde van zijn kant en heeft hij zich laten gaan omdat hij haar als zijn troost ziet? Ze weet niet wat ze ervan moet denken. Waarom heeft hij haar zo ineens thuis uitgenodigd om zogenaamd te dineren? Hij was heel anders, hij was meneer Verschoot niet. Hij was Theo...! Theo... houdt hij echt van haar of...? Is hij wel echt ziek of speelt hij soms de zielige weduwnaar die een jonge vrouw aan de haak wil slaan?

Mirjam staat op, ze kan het in bed niet langer uithouden. Voorzichtig gaat ze de trap af en pakt wat fris uit de koelkast. Als ze voorzichtig naar de woonkamer loopt en een schemerlampje aanknipt, ziet ze haar vader op de bank zitten.

'Pa, u hier...?'

'Kun je niet slapen, Mirjam?' vraagt hij zachtjes.

'Nee...'

Ze gaat naast hem zitten en vraagt: 'Zal ik wat te drinken voor u halen?'

Zonder antwoord te geven pakt hij een fles die naast hem staat en laat hem zien.

'Doet u dat om te kunnen slapen?'

'Het helpt weinig,' antwoordt hij terwijl hij een paar slokken uit de fles neemt en die weer naast zich zet.

'Dat is jenever, pa. Doet u dat vaker?'

Karel geeft geen antwoord. Hij laat zijn hoofd zakken en slaakt een diepe zucht.

'Is er iets, pa?'

Hij schudt zijn hoofd.

Zo heeft ze haar vader nog nooit meegemaakt.

'Waarom drinkt u? Weet ma hiervan?'

Opnieuw schudt Karel zijn hoofd.

'Heeft u moeilijkheden, pa?'

Dan kijkt hij zijn dochter aan en knikt.

'Wilt u erover praten?'

'Liever niet.'

'Waarom niet?'

'Niemand weet het nog, ik moet er eerst met je moeder over praten.'

Opnieuw pakt hij de fles en neemt een paar slokken.

'Heeft u moeilijkheden op de bank of zo?'

Karel geeft geen antwoord en staat op. Hij loopt heen en weer door de kamer.

'U kunt beter gaan slapen, pa.'

'Nee, bemoei je er niet mee en ga zelf slapen,' antwoordt Karel dan ineens fel.

'Waarom doet u zo vreemd? Heeft het met mij te maken?'
'Ja...'
'Waarom praat u er dan niet met me over?'
'Ik heb beloofd er niet met je over te praten.'
'Vreemd...'
'Ja, vreemd. Zeg dat wel.'
'Als het over mij gaat moet u er eerlijk over praten.'
'Ik hoef jou niks te vertellen. Je weet zelf heel goed waarmee je bezig bent!' antwoordt Karel fel.
'Hoe bedoelt u?'
'Je bent een schande voor ons! Het is maar goed dat ik nog de enige ben die het weet.'
'Wat is een schande en wat weet u?'
'Mirjam, je hebt een verhouding met je directeur. Hij heeft jou een mooie baan gegeven en je hebt een groot salaris. Verleden week heb je een nieuwe auto van de zaak gekregen. De mensen zijn niet gek.'
'Wat zegt u nou?' vraagt Mirjam verbaasd.
'Dat hoor je heel goed.'
'Laat me niet lachen. Hoe komt u aan die onzin?'
'Die onzin heb ik van een zekere... nee, laat ik zijn naam niet noemen. Het kost die man zijn baan.'
'Dus u gelooft dat ik een verhouding heb met mijn directeur, meneer Verschoot?'
'Waar ben je vanavond geweest?'
'Bij hem thuis. Is dat zo gek?'
'Dat is niet normaal. Hij is weduwnaar en zeker twintig jaar ouder dan jij en je hebt hem in verleiding gebracht en zo die baan gekregen. Jullie gaan samen op zakenreis en slapen bij elkaar in hotels,' antwoordt Karel terwijl hij haar met felle ogen aankijkt.
'Hoe komt u daarbij?' vraagt Mirjam geschrokken.
'Dat kan ik niet zeggen.'

'Wie vertelt u zulke onzin?'
'Ik zeg toch dat ik er niet over mag praten.'
'Waarom praat u er zo geheimzinnig met mij over? Weet ma hier niks van?'
'Nee, ik heb beloofd er alleen met jou over te praten en je te waarschuwen.'
Dan snikt Mirjam: 'Pa, het is niet waar wat ze van me zeggen.'
'Hoe kom je dan aan zo'n baan en waarom verdien je dan zo veel?'
'Ik heb die baan eerlijk gekregen.'
'Je hebt een topbaan en een topsalaris, dat krijgt een kantoormeisje niet zomaar. Je hebt er niet voor geleerd zoals andere zakenmensen.'
Mirjam veegt haar tranen weg en kijkt haar vader aan en zegt: 'En daarom staat u midden in de nacht op en giet u zich vol met jenever in plaats van er eerst met mij over te praten. Het is allemaal roddel en jaloezie van mensen die bij mij op kantoor werken. Zeg het maar!' valt Mirjam kwaad uit.
'Mirjam, je moet eerlijk zijn en niet dic man z'n hoofd op hol brengen. Neem ontslag en ga ergens ander werken,' zegt Karel terwijl hij zijn dochter ernstig aankijkt.
'Dat is nu juist wat ze willen en dan kan hij mijn baan inpikken. Heb ik het goed?'
'Wie is die hij?' vraagt Karel.
'Heeft u een man aan de telefoon gehad?'
'Daar geef ik geen antwoord op.'
'U bent gemeen. U gelooft wel die man en niet uw eigen dochter.'
'Mirjam, het ligt er toch dik bovenop. Die man is bezeten van je.'
'Meneer Verschoot is een eerlijke, nette man. U moet die roddelpraat niet geloven.'

'Het is geen roddelpraat, alles wijst erop dat hij gelijk heeft. Je nieuwe baan, je salaris en die nieuwe auto en dan de zakenreizen die jullie samen maken.'

'Die baan heb ik eerlijk gekregen, daar heb ik mijn best voor gedaan en daar hoort ook dat salaris bij en die nieuwe auto is van de zaak, omdat ik veel onderweg ben voor de zaak.'

'Je kunt het mooi vertellen,' lacht Karel die te veel gedronken heeft.

'Ik kan het allemaal eerlijk met mijn geweten verantwoorden. Alleen u laat zich opjutten door een jaloers iemand die deze baan aan zijn neus voorbij heeft zien gaan. Meneer Verschoot heeft mij zelf uitgekozen omdat hij me er geschikt voor vindt.'

'Dat kan ik begrijpen. Hij heeft een leuk stuk speelgoed voor zichzelf gewonnen en dat is dan mijn dochter. Je bent een slet geworden!' schreeuwt Karel terwijl hij opnieuw de fles pakt en een paar slokken neemt.

Mirjam slaat de fles uit zijn hand en zegt: 'Ik wist niet dat mijn eigen vader andere mensen eerder gelooft dan zijn eigen dochter en dat hij zich midden in de nacht volgiet met jenever. Ik heb meer respect voor meneer Verschoot dan voor u!'

Karel loopt naar zijn dochter en geeft haar een klap in het gezicht. Ze valt op de grond. Dan staat Anna in haar nachtpon in de deuropening.

'Wat is hier aan de hand?'

'Dat kunt u beter aan uw dronken man, aan die zogenaamde vader van mij vragen!' schreeuwt Mirjam terwijl ze opstaat van de vloer en naar boven rent.

Even later komt ze aangekleed naar beneden. Ze pakt haar jas van de kapstok in de hal en wil de deur uitgaan. Haar moeder rent haar achterna.

'Mirjam, Mirjam je mag niet weggaan! Het is midden in de nacht!'

Mirjam duwt haar moeder, die voor de deur staat en haar tegen wil houden, aan de kant. Dan komt haar vader naar de hal en schreeuwt: 'Eruit jij, slet!'

Tranen lopen over Mirjam haar wangen. Ze rukt de buitendeur open en rent naar haar auto. Ze start de motor en rijdt weg.

Ze ziet haar moeder buiten in de deur staan en hoort haar middenin de nacht roepen: 'Mirjam! Mirjam, kom terug!'

Ze rijdt het dorp uit en weet niet waar ze heen zal gaan. Met wie kan ze hier over praten? Wie kan haar helpen? Ze weet dat er maar Eén is Die weet dat ze eerlijk is en dat het allemaal niet waar is, maar ze kan nu niet bidden. Ze kon het vanavond toen ze naar bed ging ook niet.

Dit heeft ze nooit verwacht van haar eigen vader. Ze weet wel dat hij vaak voor het naar bed gaan een borrel neemt en dat ook doet als hij moeilijkheden heeft op zijn werk, maar dit... Nee, zo kent ze haar vader niet. Hij is streng in de opvoeding van zijn kinderen maar toch oprecht. Hij gelooft die roddelpraat en wil geen smet op zijn gezin, dat kan ze best begrijpen, maar waarom gaat hij zich dan alleen middenin de nacht volgieten met jenever en praat hij er niet gewoon onder vier ogen met haar over, zoals hij dat meestal doet als er iets is? Het is duidelijk dat hij die roddelpraat zonder meer heeft geloofd en ze begrijpt ook wel dat hij te ver is gegaan, omdat hij te veel heeft gedronken. Hij wist gewoon niet meer wat hij zei.

Natuurlijk weet ze wel dat er achter haar rug gekletst wordt en dat weet meneer Verschoot ook wel. Maar ze heeft er afstand van genomen, omdat er geen aanleiding toe was. Ze had beter gisteravond niet naar zijn huis moeten gaan. Trouwens, waarom niet? Ze hebben toch niks te verbergen of toch wel...? Nee, hij heeft haar alleen maar gezoend. Nou en...?

Ze rijdt de snelweg op. Ze kan hard rijden, want er rijden alleen maar een paar vrachtwagens.

Haar handen trillen van de emoties en er lopen tranen over haar wangen. Ze hoort steeds opnieuw haar vader roepen: 'Slet!'

Waar moet ze heen? Ze kan zo niet door blijven rijden. Ze kan ook niet naar haar kantoor gaan, al heeft ze de sleutels van het kantoorpand. Nee, ze wil niemand meer zien van het kantoor. Wie weet wat ze allemaal van haar denken? Ze weet heel goed wie die man is die haar vader gek heeft gemaakt, dat kan niemand anders zijn dan meneer De Korte. Hij was na de dood van mevrouw Verschoot Theo's rechterhand en ziet nu dat zij die functie heeft overgenomen, hoewel hij nog steeds zelfstandig zaken mag doen. Meneer Verschoot heeft hem een goede baan gegeven, alleen gaat hij niet meer met hem op zakenreis. Eigenlijk is dat voor hem niet leuk en gaat nu achteraf alles verdacht lijken. Toch weet ze van zichzelf dat ze die baan niet heeft gekregen door de directeur te verleiden. Dat is een gemene gedachte.

'Het is een minne streek van meneer De Korte om mijn vader te bellen en hem zulke dingen te vertellen. Het is minderwaardig... het is intens gemeen...' snikt Mirjam terwijl ze over de snelweg vliegt en steeds haar tranen wegveegt.

Ze gaat de snelweg af en rijdt een kleine zandweg op die weer op een verharde weg uitkomt. Hij loopt dood op een oud industrieterrein voor een oude, grote fabriekshal die er verlaten uitziet. De ramen van de loods zijn dichtgetimmerd met platen multiplex.

Ze pakt een dropje uit het dashboardkastje voor de smaak. Ze voelt zich moe en leeg. Het liefst zou ze een eind aan haar leven maken. Trouwens, dat heeft soms niet veel gescheeld door de snelheid waarmee ze over de snelweg reed terwijl ze niet veel zag door haar tranen. Ze heeft geluk gehad dat er niet veel verkeer was. Ze weet niet waar ze nu is. Ze legt haar hoofd op het stuur van haar auto. Zo valt ze van verdriet en vermoeidheid in slaap.

Dan schrikt ze wakker door een stem: 'Verdwaald, liefje?'

Ze ziet een man met een petje op met de klep naar achteren. Hij heeft het portier van haar auto opengetrokken. Mirjam wil de deur weer dichttrekken.

'Heb je ineens haast, liefje?'

'Hoepel op, man!' zegt Mirjam kwaad.

'Rustig blijven, liefje.'

Hij houdt het portier van de auto stevig vast, zodat ze het niet dicht kan krijgen.

Ze start de motor en probeert met het portier open weg te rijden.

'Dat gaat zomaar niet, liefje,' zegt de man. Hij geeft haar een duw en trekt de sleutel uit het contact.

'Zo, liefje, nu zijn de rollen omgedraaid. Kom maar eens uit die auto.'

'Man, blijf met je vingers van me af!' schreeuwt Mirjam.

'Dat zou zonde zijn, liefje,' lacht de man gemeen.

'Wat moet je van me?'

'Je geld en je spullen, kom op en snel!'

'Ik heb geen geld...'

Hij rukt haar nu helemaal uit de auto. Mirjam vecht wat ze kan, maar de man smijt haar op de straat, gaat zelf achter het stuur van haar auto zitten, start opnieuw de motor, trekt het portier dicht en rijdt met piepende banden het fabrieksterrein af. Ze kruipt overeind en heeft het nakijken.

Hoe heeft ze zo stom kunnen zijn om op zo'n afgelegen terrein, waar van alles kan rondlopen, in de auto te gaan slapen?

Ze heeft gelukkig haar mobieltje in haar jaszak, want meestal heeft ze dat in haar tas zitten, maar die is ze door de ruzie met haar vader vergeten.

'Wie zal ze bellen? De politie?'
Ze wil 112 intoetsen, maar bedenkt zich nog net op tijd. Ze toetst het nummer van Theo Verschoot in.
'Ja, met Verschoot,' antwoordt een slaperige stem.
'Met... met Mirjam. Ik... ik... kom mij alsjeblieft hier weghalen. Ik ben zo bang...' zegt ze met tranen in haar stem.
'Wat is er...? Waar ben je...?' vraagt hij ongerust.
'Ik weet het niet goed... het is een oud fabrieksterrein.'
'Wat zoek je daar zo vroeg in de morgen?'
'Ze hebben mijn auto gestolen... Kom alsjeblieft, ik ben zo bang...'
'Maar waar ben je dan? Kun je geen punt opnoemen waar het ongeveer is?'
'Het is een oude fabriek...'
'Wat voor fabriek?'
'O, wacht eens... Op één van de muren staat een bord: Hout- en staalbedrijf...'
'Ik kom er aan. Pas goed op jezelf.'
'Ja, u moet snel komen... Ik ben zo bang.'
'Probeer naar de grote weg te lopen, dat is de uitgang van het fabrieksterrein,' legt Theo Verschoot uit.
'Ja, ik zie de weg al.'
'Gewoon doorlopen, dan kom ik je vanzelf tegen.'
Mirjam loopt snel het fabrieksterrein af en loopt al op de zandweg die dicht bij de snelweg ligt.
Na een half uur lopen gaat ze aan de kant van de weg zitten. Ze kan niet meer van vermoeidheid. Even later stopt er een grote Mercedes. Theo neemt haar in zijn armen, legt haar op de achterbank en rijdt terug naar zijn landgoed.

5

Mirjam ligt op de bank. Ze is erg overstuur. Theo heeft haar al een paar keer gevraagd wat er is gebeurd en wat ze midden-in de nacht op dat parkeerterrein moest doen en wie haar auto heeft gestolen.

'Zal ik dan toch de politie maar bellen?'

'Nee...'

'Waarom niet?'

'Ik wil geen moeilijkheden.'

'Ben je gisteravond toen je hier vandaan ging, niet naar huis gegaan?'

Mirjam knikt van wel.

'Maar wat moest je dan nog zo laat op de weg?'

Mirjam wil opstaan, maar dan houdt ze haar hoofd vast. Het zweet breekt haar uit.

Theo geeft haar een glas water met een paracetamol. Ze neemt de pil in en gaat weer op de bank liggen met haar hoofd op een kussen.

'Wil je liever wat slapen? Je zult wel moe zijn?' Mirjam geeft geen antwoord. Er lopen tranen over haar wangen.

'Is er thuis iets gebeurd? Weten je ouders dat je nog laat weg bent gegaan?' begint Theo opnieuw.

Mirjam wil opnieuw opstaan en zegt: 'Ik... ik...' maar ze kan niet uit haar woorden komen.

'Zal ik je ouders bellen en zeggen dat je hier bent?'

'Nee... nee!' schreeuwt ze dan met grote ogen in haar hoofd.

'Rustig, rustig maar,' zegt Theo die merkt dat ze erg schrikt als hij over haar ouders begint.

'Probeer wat te slapen.'

'Nee, ik moet hier weg.'

'Daar ben je nog te zwak voor.'

Ze veegt haar tranen af en gaat weer liggen.
'Toch moet ik de politie bellen. Ze hebben je auto gestolen.'
'Nee, dat moet je niet doen.'
'Waarom dan niet?'
'Het kan me allemaal niks meer schelen,' zegt ze dan ineens onverschillig, terwijl ze haar tranen droogt en rechtop gaat zitten.
'Zal ik een dokter bellen?'
'Nee, ik ben niet ziek.'
'Ik heb een goede vriend die arts is en met wie je kan praten.'
'Er valt niks te praten.'
'Waarom heb je mij gebeld en niet je vader?'
Mirjam kijkt naar haar handen die op haar schoot liggen en kijkt naar haar handen die met haar zakdoek spelen.
'Durf je er niet over te praten?'
Ze schudt haar hoofd.
Theo haalt opnieuw een glas water voor haar en geeft haar een nat washandje. Ze gaat ermee over haar gezicht en drinkt het glas leeg.
'Gaat het al wat beter, Mirjam?'
Ze knikt en wil opstaan, maar zakt gelijk uit zwakte weer terug op de bank.
'Jij gaat nu eerst wat rusten. Je hebt volgens mij de hele nacht niet geslapen. Je kunt hier in de logeerkamer slapen. Zal ik je dragen?'
Mirjam knikt alleen maar. Ze voelt zich te moe en verdrietig om tegenstand te bieden.
Theo neemt haar in zijn armen en draagt haar naar de logeerkamer, waar een groot bed staat. Hij legt haar erop en vraagt: 'Kun jij jezelf uitkleden?'
Ze geeft geen antwoord en sluit haar ogen.
Theo pakt uit een van de kasten een deken en legt die over

haar heen. Hij durft haar niet wat kleren uit te doen.

Het lijkt erop dat Mirjam wat rustiger is geworden en van emotie en vermoeidheid in slaap valt. Voorzichtig doet Theo de deur dicht en maakt in de keuken zijn ontbijt klaar.

Als er even later een vrouw de achterdeur inkomt, staat hij snel op en loopt naar de keukendeur.

'Marie, ik ben vandaag de hele dag thuis. Neem maar een vrije dag en zeg tegen je man dat hij vandaag ook een vrije dag heeft.'

'Maar ik moet nodig de bedden verschonen en de kamer een grote beurt geven.'

'Echt, dat hoeft vandaag niet.'

'Maar Kees is al achter het huis bezig.'

'Zeg maar dat ik hier vandaag niemand wil hebben.'

'Maar, meneer, bent u dan ziek?'

'Ja, ik voel me niet zo goed en blijf vandaag thuis.'

'Kan ik niks voor u doen?'

'Nee, nemen jij en je man maar een vrije dag.'

'Nou ja, als u het per se wilt, dan gaan we maar weer. Als u ons nodig heeft moet u ons bellen hoor,' zegt Marie die samen met haar man bij Theo werkt.

'Dat zal ik zeker doen en maak er samen maar een fijne dag van,' zegt Theo terwijl hij de keukendeur sluit.

'Geen pottenkijkers,' zegt Theo tegen zichzelf.

Hij kijkt om de hoek van de deur van de logeerkamer of Mirjam in slaap is gevallen. Ze ligt met de rug naar hem toe.

Hij eet een paar sneetjes brood met een glas melk en gaat dan in de kamer zitten. Hij pakt de telefoon en belt de zaak dat hij niet komt en alleen gestoord wil worden, als het niet anders kan. Dan legt hij de hoorn op het toestel en gaat achterover in zijn stoel zitten.

'Wat moet ik hiermee aan? Gisteravond was er nog niks aan de hand. Of toch wel? Ik had haar eigenlijk niet zomaar moeten zoenen. Toch was ze toen niet overstuur, anders had ik haar niet alleen naar huis laten gaan. Zou er bij haar thuis iets gebeurd zijn? Zou ze het verteld hebben? Moet ik haar ouders waarschuwen? Ze is gisteravond vast niet naar huis gegaan. Zou ze een vriend hebben en is die er met haar auto vandoor gegaan? Ze wil immers niet dat ik de politie bel. Ze heeft vast ruzie gekregen met haar vriend. Zou ze over mij verteld hebben of zou die vriend er achter gekomen zijn dat ze gisteravond bij mij was...?' piekert Theo.

Hij weet niet wat hij moet doen. Ze wil niet dat hij de politie belt en zeker haar ouders niet, want toen hij dat vroeg schrok ze helemaal. Maar die mensen zullen toch ongerust zijn? Ze is vaak met hem op zakenreis geweest en ook dikwijls alleen voor de zaak naar het buitenland, maar dan waren haar ouders daarvan op de hoogte.

Mirjam heeft vast de hele nacht niet geslapen. Ze was erg overstuur en zag er niet uit, het was net of ze zo uit bed was gestapt. Wat moet hij hiermee aan? Eigenlijk moet hij vandaag naar het ziekenhuis. Hij heeft een afspraak met zijn specialist maar daar moet hij nu even niet aan denken en wat maakt het uit? Het zal allemaal wel meevallen. Die artsen kunnen het toch ook mis hebben. Hij voelt zich de laatste tijd een beetje moe. Zijn arts heeft hem de foto's laten zien. Hij heeft er zelf geen verstand van, maar die arts vond het niet zo best en heeft hem gezegd dat hij het wat rustiger aan moet doen. Vandaag heeft hij een afspraak met die arts. Gek, ze zeggen dat hij niet beter kan worden en toch moet hij die kuren ondergaan om zijn leven te verlengen. Zou de arts het wel goed hebben, want echt ziek voelt hij zich niet. Theo besluit de dokter voor vandaag maar af te bellen.

Tegen de middag wordt Mirjam wakker. Ze kijkt verschrikt om zich heen. Waar is ze...? Een vreemde kamer en een deken over haar heen. Ze heeft haar kleren nog aan. Dan herinnert ze zich weer alles. Haar vader... en toen is ze van huis weggevlucht en op dat fabrieksterrein heeft een man haar uit de auto gerukt en is er met haar auto vandoor gegaan. Theo Verschoot heeft haar opgehaald... Hij heeft haar hier neergelegd... Wat moet ze nu? Wat zal hij van haar denken...? Zou Theo naar kantoor zijn en daar alles vertellen...?

Nee, dat mag niet... denkt ze angstig en ze staat snel op.

O, haar hoofd. Het lijken wel mokerslagen die ze voelt. Ze gaat weer voorzichtig liggen. Ze is zo moe dat haar ogen opnieuw dichtvallen en ze weer in slaap valt.

Theo, die de hele morgen thuis heen- en weerloopt en wat zakelijke telefoontjes heeft gepleegd, gaat naar de logeerkamer en opent voorzichtig de deur. Hij ziet dat ze nu op haar rug ligt met de deken half over haar heen. Voorzichtig loopt hij naar het bed. Wat is ze knap! Jammer dat ze niet van hem kan houden... O, wat zou hij goed voor haar willen zijn. Maar wat moet ze met een man die twintig jaar ouder is en volgens de artsen niet lang meer te leven heeft. Toch zal hij voor haar zorgen, ook al houdt ze niet van hem. Ze is zijn tweede liefde... Dat mooie, lange haar en dat blanke, mooie gezicht. Hij buigt zich voorzichtig over haar heen, geeft haar een zoen op haar droge lippen en fluistert: 'Lieve Mirjam...'

Dan gaan haar ogen open. Verschrikt trekt Theo zijn gezicht terug. Ze kijkt hem angstig aan.

'Waarom...?'

'Heb je goed geslapen, Mirjam?'

Dan zijn daar de tranen, ze snikt: 'Waarom...? Ik moet weg...! O, mijn hoofd!'

'Je moet helemaal niet weg,' antwoordt Theo terwijl hij op de rand van het bed gaat zitten.

'Toch wel...'

Ze gaat rechtop zitten en veegt haar tranen weg met de rug

van haar hand. Theo geeft haar een schone zakdoek.
'Gaat het een beetje?'
'Nee...'
'Wat is er precies gebeurd, Mirjam?'
'Dat kan ik niet vertellen.'
'Ben je gisteravond nog thuis geweest toen je hier vandaan bent gegaan?'
Mirjam knikt.
'Hoe kwam je dan op dat industrieterrein terecht?'
Mirjam haalt haar schouders op.
'Ik kan goed begrijpen dat ik met je privé-leven niks te maken heb, maar als je in moeilijkheden zit en erover wilt praten, dan kun je dat gerust doen. We kennen elkaar al zo lang,' probeert Theo.
'Het is zo moeilijk... Ik weet het niet...'
Opnieuw zijn daar de tranen en is ze overstuur.
Theo begrijpt dat hij voorzichtig met haar moet zijn. Ze moet iets ergs hebben meegemaakt. Die vent die haar auto heeft gestolen, kan haar wel aangerand hebben. Ze was alleen op dat fabrieksterrein, er moet daar iets gebeurd zijn. Ze wilde immers niet dat hij de politie belde, terwijl ze haar uit de auto hebben gesleurd en er met haar gloednieuwe auto vandoor zijn gegaan. Zoiets moet je toch aan de politie doorgeven? Het is tenslotte ook nog een auto van de zaak.
'Zal ik de politie bellen in verband met je auto?'
'Nee.'
'Het is een auto van de zaak.'
'Ik betaal hem wel terug.'
'Maar, kind, zo bedoel ik het niet. Weten je ouders waar je heen bent gegaan?'
Ze schudt haar hoofd.
'Als je nu eens opstaat en een douche neemt, dan knap je wat op. Ik maak een paar boterhammen voor je klaar.'

Voorzichtig komt Mirjam van het bed af. Als ze ernaast staat valt ze bijna. Theo houdt haar bij de arm vast en ondersteunt haar naar de badkamer. Hij legt een handdoek en een washandje voor haar klaar.

'Als je schoon ondergoed of kleren nodig hebt, is daar een kast. Daar hangt van alles in. Het is nog van mijn vrouw. Ik kon het nog niet weg doen. Je mag het gebruiken, als je wilt.'

Mirjam knikt en gaat de badkamer in.

'Je kunt beter de badkamerdeur niet op slot doen. Als er iets met je gebeurt kan ik je helpen. Je hoeft voor mij niet bang te zijn, dat weet je.'

Zonder antwoord te geven gaat Mirjam de douche in en even later hoort Theo het water stromen. Hij blijft in de buurt van de badkamer. Als hij na een kwartier niks meer hoort en ook het water van de douche niet meer loopt, klopt hij op de badkamerdeur en vraagt of alles goed is.

'Ja...' antwoordt Mirjam zacht.

'Goed zo. Doe maar kalm aan, dan maak ik brood voor je klaar.'

Ze geeft geen antwoord en dat maakt hem ongerust. Hij klopt opnieuw op de deur en vraagt: 'Gaat het, Mirjam?'

'Ja...' hoort hij opnieuw haar zachte stem.

Dan gaat hij naar de keuken, dekt de keukentafel en begint voor hen beiden een lunch klaar te maken. Hij heeft na het ontbijt ook niets meer gegeten. Hij zal haar eens goed verwennen. Wat zal ze drinken bij het brood? Laat hij ook maar wat fris voor haar klaar zetten en een paar eieren koken. Ze zal ervan opknappen als ze eenmaal wat gegeten en gedronken heeft. Hij is dit niet zo gewend. Meestal eet hij buiten de deur of maakt zijn huishoudster eten voor hem klaar. Het is maar goed dat hij Marie en haar man Kees een vrije dag heeft gegeven. Ze zouden er wat van denken en gepraat heb je zo.

Als Theo de deur van de badkamer open hoort gaan loopt hij snel naar haar toe.

'Zo, hoe voel je je nu?'

'Gaat wel,' antwoordt Mirjam wat verlegen.

'Nu gaan we eerst samen lunchen. Ik ben geen huisman, dus als je iets anders wilt zeg je het maar.'

Mirjam gaat zonder wat te zeggen aan de keukentafel zitten, eet een boterham en neemt een slokje melk.

'Eigenlijk heb ik helemaal geen honger,' zegt ze hem aankijkend.

'Toch moet je wat eten, anders voel je je zo slap. Je moet wat aansterken,' antwoordt Theo terwijl hij een eitje pelt.

Ze schudt haar hoofd en dan ziet hij dat er weer tranen in haar ogen staan.

Hij legt zijn hand op de hare en vraagt: 'Wat is er toch? Je kunt beter praten, je moet meer vertrouwen in me hebben. Of wil je liever met iemand anders praten, je ouders of zo?'

'Nee, mijn ouders niet,' antwoordt Mirjam geschrokken.

'U heeft toch niet mijn ouders gebeld?'

'Nee, zonder jouw toestemming doe ik voorlopig niks.'

Dan gaat de telefoon in de kamer. Theo staat op, pakt de hoorn van het toestel en zegt: 'Met Verschoot.'

'Is mijn dochter bij u?' vraagt een vrouwenstem nerveus.

'Dat moet ik... Wacht u even, mevrouw,' zegt Theo die niet weet of hij hier antwoord op mag geven.

Theo loopt naar Mirjam en fluistert: 'Je moeder is aan de telefoon en vraagt of je hier bent.'

'Nee.'

'Zal ik met haar praten?'

'Ik ben niet hier, dat mag ze niet weten, nee,' zegt Mirjam angstig.

Theo knikt en loopt terug naar de telefoon in de kamer.

'Het spijt me, mevrouw.'

'Maar net wist u het niet zeker. Wil ze niet met me praten?'

'Ze is hier niet.'

'Ze was ook niet op kantoor.'

'Dan zal ze wel naar een klant zijn.'

'Maar dan gaat u toch altijd met haar mee?'

'Nee, niet altijd. Ze gaat ook vaak alleen of met een ander.'

'Meneer De Korte dacht dat ze misschien bij u zou zijn.'

'Meneer De Korte kletst maar wat. Uw dochter komt nooit bij mij aan huis,' liegt Theo.

'Weet u echt niet waar ze kan zijn? Ik moet haar spreken, ik ben erg ongerust.'

'Nee, mevrouw, het spijt mij,' antwoordt Theo terwijl hij de verbinding verbreekt.

Hij loopt terug naar de keuken en ziet Mirjam die haar hoofd ondersteunt met haar ellebogen op de keukentafel.

'Gaat het, Mirjam?' Ze geeft geen antwoord.

'Hoe komt die De Korte erbij om te zeggen dat jij hier bent,' zegt Theo kwaad.

Mirjam haalt haar schouders op.

'Heb jij er met iemand op kantoor over gesproken? Ik bedoel dat je gisteravond naar mij zou gaan?'

'Nee,' antwoordt Mirjam kort.

'Die kerel lijkt wel gek om te zeggen dat je bij mij in huis bent. Hij weet heel goed dat ik het zakelijke en het privé-leven gescheiden houdt.'

'Is dat waar?' vraagt Mirjam terwijl ze hem aankijkt.

'Weet jij hier meer van?'

'U weet dat er achter onze rug gekletst wordt.'

'Maar daar doet meneer De Korte niet aan mee.'

'Het is erger dan u denkt,' snikt Mirjam dan.

'Waarom vertel je me dan niet wat er aan de hand is, Mirjam? Je moeder belt hierheen en heeft het over meneer De Korte. Ik weet zeker dat hij achter mijn rug niet over mij zal kletsen. Dat durft hij ten eerste niet en ten tweede is hij daar te fatsoenlijk voor.'

Mirjam staat op, gaat in de kamer op de bank zitten en zegt niks. Moet ze het hem nu allemaal vertellen? Hoe zal hij daarop reageren? Ze hoeft toch niet alles alleen te dragen?

6

Mirjam kijkt Theo aan en veegt haar tranen weg. Ze weet niet hoe ze zal beginnen.

Theo gaat naast haar zitten, pakt haar hand en kijkt haar aan.

'Mirjam, zeg maar eerlijk dat je in moeilijkheden zit, ik weet alleen niet waarom. Je rijdt midden in de nacht bij je ouders vandaan en wordt overvallen door een vreemde man die er met je auto vandoor gaat. Heb je soms een vriend die erachter is gekomen dat je gisteravond bij mij was?'

Mirjam schudt haar hoofd en kijkt hem niet aan.

'Dus je hebt geen vriend? Je moet wel eerlijk zijn, Mirjam.'

'Zou u het erg vinden?'

'Als je een vriend zou hebben?'

'Ja...?'

'Nou ja, je weet dat ik je heel erg mag...'

Dan kijkt Mirjam Theo opnieuw aan en zegt met een zachte stem: 'Ik kan beter naar huis gaan, het loopt zo verkeerd met u af.'

'Met mij? Hoezo?'

'U weet heel goed dat er over ons wordt gekletst.'

'Nou en...?'

'U weet niet half hoe erg het is.'

'Vertel het dan. Je praat nu steeds in raadselen.'

'Nou, ze hebben mijn vader gebeld en gewaarschuwd...'

'Waarvoor?'

'Voor zijn dochter...'

'Omdat je gisteravond hier was?'

'Dat ook ja.'

'Wie heeft je vader gebeld?'

'Dat wilde mijn vader niet zeggen, maar ik verdenk wel iemand.'

'Noem haar naam.'
'Het is een hij...'
'Zeg op!'
'Volgens mij meneer De Korte.'
'Dus toch...'
'Wist u er al wat van?' vraagt Mirjam verbaasd.
'Ik was er bang voor.'
'U weet maar half hoe men over mij denkt.'
'Ze hebben niks van jou te denken. Wij tweeën weten de waarheid. Alleen gisteravond heb ik je gezoend. Verder is er niks gebeurd en dat kan niemand van de zaak weten.'
'Het is erger dan u denkt.'
'Dat kan gewoon niet, Mirjam.'
'U heeft te veel vertrouwen in de mensen.'
'Ach, dat geroddel, daar trek ik mij niks van aan. Alleen dat ze je ouders over ons bellen, daar wil ik het mijne van weten.'
'U gelooft me toch niet.'
'Mirjam, zou je me gewoon Theo willen noemen als we alleen zijn?'
'Waarom wilt u dat?'
Hij pakt opnieuw haar hand, kijkt haar aan en fluistert: 'Mirjam, ik weet dat het niet kan van jouw kant. Ik ben twintig jaar ouder dan jij, maar ik houd van je, Mirjam...'
Theo trekt haar naar zich toe, neemt haar in zijn armen en Mirjam laat het gewillig toe. Er lopen tranen over haar wangen. Hij kust ze weg en zegt met een zachte stem: 'Huil maar gerust, lieverd.'
'Maar het kan niet waar zijn...' snikt Mirjam terwijl ze zich los maakt uit zijn omarming en als uit een droom wakker wordt.
'Mirjam, kun je niet van mij houden?'
'Niet op deze manier.'
'Je bedoelt dat ik misbruik maak van de situatie?'

'Nee, dat is het niet…'

'Zeg het me dan, Mirjam. Wees eerlijk tegen me, dan zal ik het ook zijn. Ik heb je al gezegd dat ik veel van je hou, al ben ik twintig jaar ouder, maar wat zijn jouw gevoelens tegenover mij? Zeg het me eerlijk. Ik wil geen vaderfiguur voor je zijn, maar een man die echt van je houdt. Kun jij dat ook, Mirjam? Zeg het me… Als je niet echt van me kan houden, dan zal het me pijn doen, maar ik zal het moeten aanvaarden.'

'Waarom zeg je dat nu pas, Theo?'

'Omdat ik bang ben dat je niet van me kunt houden…'

'Dus je wilde me inpalmen?' Theo knikt alleen maar.

'Theo, je had het mij eerlijk moeten vertellen. Nu krijg ik overal de schuld van…' snikt Mirjam.

Theo kijkt haar verbaasd aan en vraagt: 'Waarvan?'

'Dat ik jou heb verleid en zo en daarom die baan heb gekregen en dat je mij een nieuwe auto hebt gegeven. Ze zien mij als een slet…' snikt Mirjam.

'Maar, Mirjam… Mirjam, wie zegt dat?'

'Dat heb ik je toch verteld?'

'Je bedoelt dat ze je ouders hebben gebeld en…'

'Ja, ze hebben mijn vader van alles voorgelogen.'

Theo zit als verslagen op de bank naast Mirjam en zegt niets.

'Theo, begrijp je het nu?'

Theo knikt en staat op en zegt met een harde stem: 'Wie is die man? Die is nog niet klaar met mij!'

'Vader wilde het niet zeggen. Hij mocht geen naam noemen. Volgens mij weet hij niet wie hij aan de telefoon heeft gehad. Hij was erg overstuur en ging middenin de nacht veel drinken, dat doet hij meestal als er problemen zijn. Toevallig kon ik die nacht niet in slaap komen en wilde ik beneden wat gaan drinken en toen zat mijn vader in de kamer. Ik zag dat er iets mis met hem was. In het begin wilde hij er niet met me over praten. Ik denk dat hij er eerst met jou over wilde praten om zekerheid te krijgen, maar mijn vader ging te veel drinken en toen ging hij ineens tekeer tegen me en vertelde hij dat er iemand van ons kantoor over mij had gebeld.'

'Het is allemaal mijn schuld. Je werkt al zo'n vijf jaar bij ons. Je hebt mijn vrouw ongeveer drie jaar meegemaakt voor ze stierf en ze mocht je graag.'

Theo gaat weer naast Mirjam op de bank zitten en kijkt haar oprecht aan en zegt: 'Denk niet dat ik je toen al begeerde... We hadden een goed huwelijk, ik heb nooit aan een andere vrouw gedacht. Ik hield veel van mijn vrouw en zij van mij. Nu is ze er al twee jaar niet meer. Ik ben je steeds meer gaan zien als... Nou ja, ik ben van je gaan houden... Niet omdat je zo knap en aantrekkelijk bent, dat natuurlijk ook wel, maar binnenin mij zijn er steeds meer gevoelens voor jou gegroeid. Het is zo erg geworden dat ik erover heb gedacht je ontslag te geven, zodat ik je niet meer zou ontmoeten. Maar de vlam die eerst een vonk was, brandde te fel in mij. Ik ben toen een gemeen spelletje met je gaan spelen...'

'U bedoelt?'

'Ja, deze directeur, deze Theo heeft je een mooie baan gegeven, zodat hij vaak met je op zakenreis kon gaan en jij mij beter zou leren kennen. Er is nooit wat voorgevallen. Je hebt op onze zakenreizen je werk goed gedaan en ik heb geprobeerd je steeds meer aan me te binden, totdat het gisteravond zo ver is gekomen dat ik je bij mij thuis heb uitgenodigd. Ik wilde je gisteravond vragen, al wist ik dat het uit de hand zou lopen. Jij, zo'n knap meisje van vijfentwintig en ik de weduwnaar van vijfenveertig. Zoiets kom je alleen tegen in een roman. Ik gaf mijzelf dan ook niet veel kans en hoopte dat je niet op mijn rijkdom zou vallen, maar mij ook lief kon hebben. Toch was het van mijn kant niet eerlijk. Nu gaan ze jou ervan verdenken. Ik ben dom geweest en heb geen rekening gehouden met andere mensen die jaloers zouden worden en verkeerde gedachten over ons zouden krijgen. Eerlijk gezegd heb ik nooit gedacht dat ze zoiets van jou zouden durven denken. Ik dacht eerder dat ze mij ervan zouden verdenken dat ik jou probeerde in te palmen met mijn rijkdom en een mooie baan, een goed salaris en een nieuwe auto van de zaak. Maar helaas...'

'Mijn vader was er meteen al tegen.'

'Waar was hij tegen?'

'Dat ik die baan zou aannemen en met u op zakenreis zou gaan. Hij vond het verdacht.'

'Dat heeft je vader dan goed gezien. Alleen heb ik je nooit gemeen behandeld en dat ze nu suggereren dat jij me vanwege mijn rijkdom zou nemen, dat doet me pijn. Je kent me al lang genoeg om zo niet over me te denken.'

'U weet dat mijn ouders christen zijn. Het was heel anders geweest als u ook van de kerk zou zijn.'

'Wat maakt dat voor verschil?'

'Dan zouden ze u meer vertrouwen.'

'Maar je bent toch geen kind meer? De meeste meisjes van jouw leeftijd zijn getrouwd of hebben een eigen flatje. Je bent nog steeds thuis bij je ouders en wacht rustig wanneer de ware Jacob komt. Je ouders kunnen trots op je zijn. Ik ken vrouwen en meisjes die vandaag nog met mij willen gaan, maar ik weet dat het bij hen geen liefde is maar alleen mijn rijkdom.'

'Dat wist u bij mij toch ook niet?'

'Je zegt wist...?'

'Nou ja...'

Theo neemt haar in zijn armen en kust haar en vraagt: 'Kun je van mij houden, Mirjam?'

'Het is allemaal zo moeilijk na alles wat er is gebeurd.'

'Zie je iets in mij...? Je weet wat ik bedoel?'

'Het is geen liefde zoals een dochter voor haar vader voelt.

Nee, zo voel ik het niet. Toch moet u mij de tijd gunnen,' antwoordt Mirjam oprecht.

'Ik kan je goed begrijpen, Mirjam, maar vergeet nooit bij je beslissing dat ik heel veel van je houd en dat je voor mij meer bent dan alleen je uiterlijk.'

'Maar u bent ziek, of was dat ook om mij...?'

'Zodat je me uit medelijden zou willen hebben?'

'Zoiets ja?'

'Nee, Mirjam, dat zou helemaal oneerlijk zijn tegenover jou. Ik wilde er met iemand over praten en jij kwam er als eerste voor in aanmerking. Je weet dat ik geen kinderen heb.'

'En uw familie?'

'Er is alleen familie van de kant van mijn vrouw en met hen kan ik niet zo opschieten. Zelf ben ik enig kind. Je weet dat de zaak eerst van mijn schoonvader was. Mijn vrouw en ik hebben de zaak overgenomen en er een groot bedrijf van gemaakt. Ik heb dus nu zelf alle aandelen in de zaak. De familie van mijn vrouw wilde de aandelen van mijn vrouw toen ze stierf, maar ze had ze al voor haar dood aan mij overgedaan. Haar familie vertrouwde het niet en begon een rechtszaak tegen mij die ik glansrijk heb gewonnen. Nu willen ze niks meer met mij te maken hebben.'

'Toch dom van ze. Als u er niet meer bent, waar gaat alles dan heen?'

'Ze weten dat er niks naar hun kant gaat. Dat heb ik ze meteen na die rechtszaak duidelijk gemaakt.'

'Maar hoe moet het later dan met uw vermogen? U bent ziek...'

'Zullen we niet over zulke nare dingen praten? Ik hoop nog een tijdje te leven. Jij mag me gelukkig maken en wie weet komt er dan nog een opvolger,' lacht Theo.

'U gaat wel een beetje te ver,' zegt Mirjam met een rood hoofd.

'Laat ik dat u en meneer niet meer van je horen. Ik ben voor jou gewoon Theo.'

'O ja. Maar hoe moet het nu verder voordat mijn ouders naar de politie gaan of zo?'

'Je vader heeft je toch de deur gewezen?'

'Dat wel ja…'

'Mirjam, ik ga met je ouders praten, vanavond als je vader thuis is. Nu ga ik eerst naar de zaak en ook de politie inlichten over diefstal van je auto, want die staat op naam van onze zaak.'

'En ik dan…? Moet ik mee naar kantoor?'

'Helemaal niet. Jij blijft tot vanavond hier. Er staat genoeg in de koelkast. Misschien kun je, als ik terug ben, wat eten voor ons beiden klaarmaken.'

'Maar…'

'Niks te maren.'

'Wat gaat u op de zaak doen? Ze zullen me wel missen.'

'Daar heb ik al over nagedacht. Ik ga eerst onder vier ogen praten met meneer De Korte en hem haarfijn uitleggen, dat hij geen roddelpraat over jou mag rondstrooien en dat hij moet kiezen voor ander werk of zelf zo snel mogelijk ontslag nemen.'

'Dus hij mag wel op de zaak blijven werken?'

'Hij kan een baan krijgen in een van onze filialen en komt dan onder een van mijn directeuren te staan.'

'Zal hij dat wel accepteren? Hij is nu mededirecteur.'

'Dat denkt hij wel, maar mijn mededirecteuren moeten geen stomme dingen uithalen. Eigenlijk zou ik liever hebben dat hij ontslag nam, maar hij mag zelf kiezen.'

'Ik zie er wel tegenop…'

'Waar zie je tegenop?'

'Hoe het verder moet, vooral met mijn ouders.'

'Toch niet tegen mij, hoop ik?'

Mirjam kijkt hem in zijn blauwgrijze ogen die er nog jeugdig uitzien.

Theo neemt haar in zijn armen en zegt: 'Dit belooft wat. Kun je echt van mij houden, Mirjam?' Ze geeft geen antwoord en laat zich zoenen.

Als Theo weg is staat Mirjam voor het grote raam en ze kijkt uit over het grote gazon met op de achtergrond de bossen. Wat is het heerlijk om hier te wonen! Ze doet de schuifdeur open en gaat op het terras zitten. Het is allemaal goed onderhouden. Theo heeft dan ook personeel dat er elke dag is: Marie, de huishoudster en haar man Kees, die de tuin bijhoudt. Om de zoveel tijd komt er een tuinman van een hoveniersbedrijf de tuin een grote beurt geven. Het huis is erg groot, terwijl er maar twee mensen in hebben gewoond: Theo met zijn vrouw.

Wat een verschil met haar ouderlijk huis: een hoekhuis met een woonkamer, een keuken en een kleine gang en boven drie slaapkamers. Hun tuin stelt helemaal niks voor vergeleken met deze tuin en toch zijn ze er allemaal tevreden mee. Zij is er geboren en ook haar broertje Johan. Wat zijn er toch grote verschillen op de wereld!

Zal ze hier gaan wonen als ze met Theo...? Kan ze het wel? Houdt ze wel echt van hem of doet ze het om zijn rijkdom? Theo is stapelgek op haar. Ze hoeft maar 'ja' te zeggen en ze is de vrouw van een van steenrijke man. Hij zal toch wel met haar trouwen en niet met haar willen samenwonen? Ach, waar piekert ze over? Nou ja, ze heeft hem laten merken dat ze om hem geeft, maar kun je op die basis wel trouwen? Wat is het allemaal moeilijk! Ze kent hem al lang. In die vijf jaar heeft hij nooit echt toenadering tot haar gezocht. Hij is altijd vriendelijk tegen haar geweest. Hij heeft een vrolijke uitstraling en dan die blauwgrijze ogen die haar zo liefdevol kunnen aankijken. Ogen die altijd een beetje lachen. Hij is een knappe man en vijfenveertig jaar is eigenlijk nog niet oud. Maar hij is wel ziek, heeft hij haar op kantoor verteld en toen had hij het best moeilijk. Hij was toen best erg emotioneel tegenover haar, terwijl niemand anders ervan wist. Zij alleen mocht het weten.

Maar kan ze wel met een man gaan trouwen die niet lang meer te leven heeft? Dan lijkt het net, alsof zij de rijke weduwe wil worden en daarom met hem gaat trouwen.

Mirjam raakt van al dat denken een beetje in de war en gaat twijfelen aan zichzelf en aan Theo. Wil hij met haar trouwen om misschien toch nog een erfgenaam te krijgen, zoals hij net nog zogenaamd als grapje heeft gezegd? Nee, zo mag ze niet met een man trouwen en zeker niet als er een verschil van twintig jaar tussen hen ligt. Wat kan het leven moeilijk zijn. Waarom is ze nooit verliefd geworden op een jongen van haar leeftijd? Ze heeft genoeg vrienden en heeft ook wel eens verkering gehad. Met Theo is het zo heel anders, ook al is hij ouder. Valt ze misschien op wat oudere mannen? Dat komt vaak genoeg voor, maar twintig jaar is wel heel wat anders. Toch geef je Theo die leeftijd niet. Haar vader is niet veel ouder dan Theo. Ze zou bijna zijn dochter kunnen zijn. Hoe zullen haar ouders reageren? Haar vader zal er zeker tegen zijn. Ze gaat samen met Theo met haar ouders praten over al die kletspraatjes. Theo neemt alle schuld op zich. Pa zal het zeker afkeuren, vooral als hij hoort dat Theo ongeneeslijk ziek is.

Jammer dat haar vader zo snel naar de fles grijpt en te veel sterke drank drinkt, als er problemen zijn. Ze ziet vreselijk tegen de avond op. Het zal wel ruzie worden, maar ze is geen kind meer. Als het gesprek echt uit de hand loopt, gaat ze wel bij Theo wonen. Kan dat wel? Theo zal nooit misbruik van haar maken voordat ze getrouwd zijn.

Trouwens, zo is hij niet, anders zou hij dat allang geprobeerd hebben. De meeste mannen zijn anders en hebben daar geen moeite mee.

O, ze moet voor het eten zorgen! Theo zal zo wel terug komen van kantoor.

'Ik ben benieuwd hoe Ben de Korte zich er onderuit probeert te draaien,' mompelt ze. Wat een kortzichtig iemand om zomaar haar vader te bellen. Jaloezie kan rare sprongen maken.

7

Theo Verschoot loopt vanuit zijn auto het grote kantoor binnen, knikt tegen het personeel dat hij tegenkomt en loopt door naar de lift. Hij komt op de bovenste verdieping waar zijn kantoor is.

Hij doet zijn jas uit en hangt die aan de kapstok in een hoek van het kantoor, gaat achter zijn bureau zitten en kijkt de post na die elke morgen op zijn bureau ligt. Er wordt op de deur geklopt en er komt een meisje binnen op zijn bekende 'ja'.

'Meneer, er is bezoek voor u.'

'Vandaag ben ik niet aanwezig, dat heb ik jullie doorgegeven.'

'Maar u bent er nu toch?'

'Je meent het,' lacht Theo met een flauw lachje naar het meisje dat Mirjam vervangt sinds die bij hem op kantoor zit.

'Heeft u niet even tijd voor die heren? Ze zitten de hele morgen al in de wachtkamer.'

'Heb je ze koffie gegeven?'

'Ja, meneer.'

'Fijn. Je weet dat ik er vanmorgen niet zou zijn.'

'Meneer De Korte heeft beloofd dat u de heren te woord zal staan.'

'Meneer De Korte kan zoveel beloven. Hij kan die zaak toch wel alleen afhandelen?'

'Nee. Het gaat om de verkoop van een kantoorcomplex.'

'O. Nou, laat ze maar even binnenkomen. Ik herinner me die zaak. Ik heb verleden week een afspraak met hen gemaakt, dus laat ik het dan toch maar even afhandelen.'

'Dus ik kan ze binnenlaten?'

'Ja, dat is goed.'

Theo Verschoot staat op van achter zijn bureau als de mannen binnenkomen en geeft hun een hand.

'Breng je drie koffie of willen de heren wat anders drinken?'
'Graag koffie,' antwoorden de twee mannen tegelijk.
Even later komt het meisje binnen met drie koffie op een dienblad. Ze zitten aan de lange vergadertafel.
'Heren, ik heb weinig tijd vandaag, dus laten we het kort houden,' zegt Theo voor ze ter zake komen.
'We zijn bijna afgepoeierd,' zegt een van de mannen.
'Hier wordt niemand afgepoeierd. Er is iets belangrijks tussengekomen. Eigenlijk zou ik vandaag helemaal niet aanwezig zijn en daarom had ik liever gezien dat jullie de zaak met meneer De Korte hadden afgehandeld.'
'Dat wilden we ook wel, maar we hadden een afspraak met u en meneer De Korte weet niet waarover het gaat,' zegt een van hen terwijl hij een slok koffie neemt.
'Het gaat om het kantoorpand van Dauwe en Co,' zegt Theo terwijl hij in een van de mappen kijkt.
'Juist, meneer.'
'Zijn we het over de prijs eens die ik jullie heb voorgesteld?' vraagt Theo als een doorgewinterde zakenman.
'Nee, anders zouden we hier niet zitten.'
'Wat hebben de heren dan gedacht?' vraagt Theo kort.
'Het kan wel twee ton meer,' antwoordt een van hen.
'Laten we het verschil delen, dan zijn we alle twee tevreden. Akkoord?'
'Nou, nee,' zegt de ander.'
'Dan is het voor mij een afgesloten zaak en ga ik niet verder,' antwoordt Theo Verschoot kort.
'Dus u koopt niet?'
'Niet voor deze prijs.'
'Nou ja...'
Theo wil opstaan en de heren een hand geven.
'Vooruit dan maar, we doen het voor die prijs,' antwoordt een van de twee die waarschijnlijk de leiding heeft.

'Afgesproken, u hoort nog van mijn notaris. Hij zal u de stukken toesturen,' zegt Theo terwijl hij de map sluit en opstaat. Terwijl hij hun een hand geeft zegt hij: 'Neemt u mij niet kwalijk, ik heb vanmiddag nog een belangrijk gesprek.'

De heren staan op, geven Theo een hand en gaan het kantoor uit.

Theo gaat weer achter zijn bureau zitten, pakt de telefoon en belt naar het kantoor van meneer De Korte en zegt kort: 'Komt u even bij me op kantoor?'

'O, bent u toch aanwezig?'

'Ja,' antwoordt Theo kort.

'Goed, meneer, ik kom eraan.'

Even later komt Ben de Korte, die nogal gezet is, binnenwaggelen.

'Hebt u de heren ontvangen over die zaak van Dauwe en Co?'

'Kon u dat niet met ze afhandelen?'

'Ze wilden per se u spreken. Ze hadden een afspraak met u. Ik heb naar uw huis gebeld en Mirjam nam op en zei dat u onderweg was hierheen,' antwoordt Ben de Korte met een gemeen lachje op zijn gezicht.

Dat lachje irriteert Theo Verschoot erg zodat hij kort zegt: 'Ga zitten!'

'O ja...'

'Dus Mirjam heeft opgenomen?'

'Ja, ze was bij u in huis als ik het goed begrijp.'

'Vindt u dat vreemd?'

'Nou ja...'

'Wat nou ja?' zegt Theo terwijl hij de man die tegenover hem zit doordringend aankijkt.

'Het zijn uw zaken, maar er wordt nogal gekletst achter jullie rug,' antwoordt Ben de Korte dan.

'Wat wordt er over ons gekletst?'

'U begrijpt toch wel wat ik bedoel?'
'Nee, eerlijk gezegd niet.'
'Ze denken dat jullie een verhouding hebben. U moet me goed begrijpen, ik doe aan die roddel niet mee,' antwoordt Ben de Korte wat timide.
'Zo, dat is erg verstandig van u,' zegt Theo Verschoot die zich een beetje van de domme houdt.
'Met uw privé-leven bemoei ik me niet.'
'Echt niet?' vraagt Theo terwijl hij wat makkelijker achterover in zijn bureaustoel gaat zitten.
'Nee...'
'Ik heb persoonlijk nog nooit iets gemerkt van die roddel waarover u het hebt,' zegt Theo Verschoot dan kort.
'Ach, u weet hoe dat gaat.'
'Nee, en dat wil ik graag uit uw mond horen.'
'Ach, we kennen elkaar al jaren en ik heb veel met uw vrouw samengewerkt. Nu Mirjam bij u op kantoor werkt en u samen met haar op zakenreis gaat, is er veel veranderd en als ik eerlijk ben voor mij ook,' legt Ben de Korte uit.
'Wat is er dan veranderd?'
'Na de dood van uw vrouw heb ik veel zaken overgenomen en nu doet Mirjam die zaken.'
'Jaloers dus!' zegt Theo kort.
'Dat niet echt... Toch moet u mij ook kunnen begrijpen...'
'Wat moet ik begrijpen wat u betreft?'
'Nou ja, dat ik een ondergeschikte van haar ben geworden, terwijl ze vroeger onder mij stond.'
'O, ik dacht dat ik hier de directeur was,' lacht Theo koeltjes.
'Nou ja...'
'U voelt zich achteruit gezet?'
'Als u het zo wilt noemen, ja...'
'Hoe denkt u over Mirjam?' vraagt Theo op de man af.

'U kent haar beter dan ik.'

'Doet zij haar werk niet goed?'

'Ze werkt voor u en daar heb ik niks mee te maken.'

'Voor wie werkt u?'

'Nou ja, u bent de baas, maar toen uw vrouw nog leefde was alles zo anders en na haar dood heb ik me helemaal ingezet voor de zaak.'

'Dat doet u, hoop ik, nu toch nog?' vraagt Theo terwijl hij Ben recht aankijkt.

'Zeker weten...'

'Wat is er dan met u aan de hand?'

'Alles is zo veranderd, zei ik al, en ik voel me achteruit gezet. U moet me goed begrijpen, ik heb nog met uw schoonvader samengewerkt en later met zijn dochter en toen kwam u in de zaak en trouwde u met zijn dochter en werd u directeur samen met uw vrouw,' legt Ben de Korte uit.

'En nu bevalt het u niet meer zo?'

'Het gaat... Zo erg is het nou ook weer niet, maar na al die dienstjaren word ik ineens achteruit gezet. Ik zeg maar eerlijk hoe ik erover denk.'

'Waarom vertelt u me dit nu pas? U had er toch gewoon met me over kunnen praten?'

'Nou ja...'

'Wat nou ja?'

'Mirjam... ach, laat ik er maar niks over zeggen.'

'Dat moet u juist wel doen, of zal ik het maar doen?' zegt Theo nu wat fel.

'Mirjam heeft mij ingepalmd, vindt u niet?'

'Dat zijn mijn woorden niet...'

'Maar wel uw gedachten.'

'U weet hoe dat gaat, als de directeur met een van de dames omgaat en samen met haar de zaken gaat doen,' zegt Ben de Korte.

'Hoe gaat dat dan, De Korte?' zegt Theo terwijl hij hem kwaad aankijkt. Er staan nu een paar zweetdruppels op het voorhoofd van Ben de Korte.

'Ik praat er liever niet over, het is uw zaak.'

'Dat denk ik ook, ja.'

'Wat wilt u eigenlijk? Ik moest bij u komen voor een gesprek,' wil Ben het gesprek snel over een andere boeg gooien.

'De Korte, u weet heel goed waar ik heen wil.'

'Ik zou het eerlijk niet weten. Gaat het over de zaak van Dauwe en Co?' probeert hij opnieuw het gesprek een andere wending te geven.

'Nee, dat heb ik al geregeld. U weet heel goed waar ik heen wil.'

'Het spijt mij, ik weet niet wat u bedoelt.'

'Dan zal ik proberen uw geheugen op te frissen!' valt Theo kwaad uit. Ben de Korte voelt zich helemaal niet meer op zijn gemak, nu hij zijn baas zo kwaad ziet.

'U heeft wat tegen Mirjam. Heb ik het goed?'

'Waarom zou ik?'

'U denkt dat Mirjam mij heeft ingepalmd door mij als weduwnaar te verleiden. Heb ik het goed?'

'Nou ja, nu u het zelf zegt... De meeste mensen hier op kantoor denken er zo over. Het valt ook op. Ze heeft in uw kantoor de plaats van uw vrouw ingenomen, ze verdient een royaal salaris en gaat samen met u op zakenreis. Ze heeft verleden week een nieuwe auto gekregen. Wees eerlijk, dat valt toch op?'

'Ja, ik ben eerlijk. U draait de zaak om.'

'Ik de zaak omdraaien? Hoe komt u daarbij?'

'Is het nooit in uw bolle hoofd opgekomen dat ik háár heb ingepalmd?'

'Nee, eerlijk gezegd niet. Zoiets verwacht ik van u niet bij zo'n jong meisje. Meestal loeren die jonge grieten op een rijke man. Al is die net zo oud als hun eigen vader, dat interesseert ze niks,' zegt Ben de Korte nu hij voelt waar zijn baas heen wil.

'U gaat nu wel heel ver!'

'Ik zeg gewoon hoe ik erover denk.'

'Goed, dat u er zo over denkt, daar kan ik nog inkomen, maar dat u achter mijn rug om haar vader belt over zijn dochter...!' zegt Theo dan fel.

'Ik gebeld naar haar vader?'

'Ja, u!'

Ben de Korte veegt met de rug van zijn hand het zweet van zijn voorhoofd en voelt dat het uit de hand loopt. Hoe moet hij zich hier nog uitredden?

'Ik ken haar vader van de bank en ik spreek hem daar wel eens en dan vraagt hij me hoe het met zijn dochter gaat.'

'Dan gaat u zeggen dat ze met de directeur aanpapt, als ze op zakenreis zijn?' schreeuwt Theo fel.

'Nee, nee, dat heb ik niet gezegd! Dat kan ik toch niet maken op de bank?' antwoordt Ben terwijl het zweet dik op zijn voorhoofd staat.

'Ik zal het u helpen herinneren, De Korte. U heeft haar vader gebeld en verteld dat zijn dochter Mirjam een verhouding met de directeur heeft en dat zijn dochter hem helemaal ingepalmd heeft en daarom een goede baan heeft en ook nog een nieuwe auto heeft gekregen. Dat ze samen vaak op zakenreis gaan en in een hotel slapen. Heb ik het goed, De Korte?'

De Korte veegt het zweet van zijn voorhoofd dat heel rood is.

'Nou ja, ik heb wel gezegd dat zijn dochter met u meegaat en dat ze u probeert te verleiden.'

'We komen al wat dichterbij, De Korte!'

'U moet weten dat wij christenen zijn en wij denken daar anders over.'

'Waar denkt een christen anders over?'

‘Nou ja, ze is nog jong en ze is gek op u.’

‘Dat mag zo zijn, maar dan niet achter mijn rug haar vader bellen en die man én zijn dochter overstuur maken!’

‘Dat was mijn bedoeling niet.’

‘Wat was dan uw bedoeling?’

‘Net wat ik al zei: ik ken haar vader en we praten nog wel eens over het geloof en dan komen zulke dingen ook naar boven.’

‘Dus christenen doen dat op zo’n manier. Ben ik blij dat ik geen christen ben,’ antwoordt Theo kwaad.

‘Maar ik dacht dat ik... nou ja... het was echt niet kwaad bedoeld.’

‘Dit gedrag van u kan ik niet aanvaarden. U moet weten dat ik heel veel om Mirjam geef. U heeft ons pijn gedaan en ook haar ouders.’

‘Dat was niet mijn bedoeling,’ zegt De Korte nerveus.

‘U begrijpt dat ik dit niet door de vingers zie en u vraag ander werk te zoeken!’

‘Maar op mijn leeftijd, kan ik het niet goed maken...? Ik heb er echt spijt van...’

‘Hoe wilt u dat goed maken? U heeft Mirjam als een slet afgeschilderd tegenover haar ouders, terwijl ze een degelijk net meisje is van wie ik ben gaan houden, ook al is ons leeftijdsverschil erg groot. Als u dat als zonde ziet als christen, dan had u mij moeten waarschuwen en niet gemene dingen over Mirjam en mij rondbazuinen en zeker niet tegen haar ouders. Dat noem ik oneerlijk!’

‘Ik dacht echt dat zij...’

‘Dat mag u dan wel denken, maar niet achter onze rug daar met haar ouders over gaan praten.’

‘Neemt u het mij niet kwalijk. U gaat me toch niet echt ontslaan...? Ik loop tegen de vijftig en kan op zo’n leeftijd geen werk meer krijgen. U weet dat ik altijd mijn best heb gedaan voor de zaak. Ik begrijp zelf niet hoe ik zo dom ben geweest. Echt, ik heb er vreselijk spijt van! Kunt u het me niet vergeven...?' smeekt Ben de Korte, bleek van angst voor het ontslag.

'Ik u vergeven? U kunt beter Mirjam en haar ouders om vergeving vragen.'

'Dat zal ik zeker doen. Mag ik dan hier blijven werken?'

'Niet meer op dit kantoor, dan kan ik u beter overplaatsen naar een van onze filialen. U zult kunnen begrijpen dat Mirjam en ik u hier op kantoor niet meer willen zien, daarvoor is er te veel gebeurd. U probeert het eerst maar eens goed te maken, dan hoor ik het wel. Het zal ook beter voor u zelf zijn. Vindt u ook niet?' zegt Theo terwijl hij opstaat en zegt: 'U kunt gaan.'

Ben de Korte staat snel op, geeft Theo Verschoot een hand en zegt opnieuw dat hij er echt spijt van heeft.

'Dat laat u dan maar eens merken aan Mirjam en haar ouders,' antwoordt Theo scherp.

Mirjam is druk met eten koken. Ze heeft een pak bami in de voorraadkast gevonden en wat eieren. Ze maakt het zich makkelijk. Het is tegen zessen als ze de schaal bami in de magnetron zet en twee eieren in de pan doet om te bakken.

Ze had gehoopt dat Theo op tijd zou zijn, anders wordt alles weer koud. Waar blijft hij zolang? Hij wilde alleen maar met meneer De Korte praten. Het zal best moeilijk voor hem zijn. Dan ziet ze de Mercedes de oprit oprijden. O, daar is hij. Ze heeft de tafel netjes gedekt in de keuken en hij is nog mooi op tijd.

Als hij binnenkomt roept hij al in de hal: 'Dat ruikt goed, zeg...'

'Raad eens wat we eten?'

'Boerenkool met uitgebakken spek.'

‘Man, je bent niet wijs. Hoe kun je dat nu van mij denken?’
‘Ik maak maar een grapje, joh. O, kijk eens, die gebakken eieren rook ik natuurlijk. Heerlijk, zeg, en bami, dat is eens wat anders. Ik heb er zin in.’
Hij gaat meteen aan tafel zitten, terwijl Mirjam de borden volschept en tegenover hem plaats neemt. Ze vouwt haar handen en bidt zachtjes. Ze weet dat Theo nooit bidt, als ze samen in een restaurant eten.
‘Hoe is het op kantoor gegaan?’
‘Er waren zakenlui, die van Dauwe en Co.’
‘Ik bedoel meneer De Korte.’
‘Die gaat jou en je ouders om vergeving vragen.’
‘Echt?’
‘Dat zal hij wel moeten.’
‘Je geeft hem toch geen ontslag? Heeft hij alles bekend?’
‘Het heeft wel even geduurd. Hij dacht dat het zijn christenplicht was.’
‘Maar geef je hem echt ontslag?’
‘Hij wordt overgeplaatst als hij zijn excuus aanbiedt aan jou en je ouders.’
‘Het zal mij benieuwen hoe mijn vader daarop zal reageren,’ zegt Mirjam.
‘Als De Korte dat gedaan heeft, gaan we naar je ouders. Goed?’ vraagt Theo.
‘Ja, dat is goed. Smaakt het?’
‘Heerlijk! Je kunt goed koken, je mag blijven,’ grapt Theo.

8

Diezelfde avond vraagt Mirjam: 'Theo, ben je echt van plan naar mijn ouders te gaan?'

'Het maakt mij eigenlijk niks uit.'

'Hoe bedoel je dat?'

'Jouw vader heeft je de deur gewezen.'

'Niet echt.'

'Dat heb je me wel verteld.'

'Nou ja, hij ging tekeer tegen me en toen ben ik kwaad weggegaan en schreeuwde hij dat ik niet meer thuis mocht komen.'

'Dus toch?'

'Eigenlijk wel.'

'Zeg zelf maar of je wilt gaan.'

'Wat een vraag zeg.'

'Mirjam, wat is er nou belangrijk voor je?'

Mirjam haalt haar schouders op en antwoordt: 'Het maakt mij niet uit.'

'Je mag niet zo negatief denken.'

'Jij hebt makkelijk praten.'

'Jij bent voor mij het belangrijkste, Mirjam,' zegt Theo terwijl hij haar omarmt, haar tegen zich aandrukt en haar stevig zoent.

Ze rukt zich los en loopt van hem weg.

'Waarom doe je nu zo?'

'Je gaat te ver, Theo.'

'Je bent toch niet meer zo preuts op jouw leeftijd?'

'Dat ben ik wel. Jij bent getrouwd geweest en dat is het verschil tussen ons.'

'Heb je echt nog nooit iets met een jongen gehad?'

'Er is ook nog zo iets als respect voor elkaar hebben,' antwoordt Mirjam.

'Dat heeft er niks mee te maken.'
'Het komt omdat jij niet gelovig bent opgevoed.'
'Ik zie niet in waarom dat verschil zal maken. Zijn er bij jou nooit verlangens naar een liefde die je zelf niet in de hand hebt?' vraagt Theo.
'Je gaat te ver. Het lijkt wel of je me aan het ondervragen bent,' antwoordt Mirjam een beetje geprikkeld.
'Ben je bang voor me? Kun je eigenlijk wel echt van me houden?'
'Theo, waarom maak je het me zo moeilijk?'
'Omdat ik aan je twijfel. Jij weet heel goed dat ik van je hou, maar hoe zie jij als vrouw het leven met mij? Je bent vaak zo gesloten, ik weet niet wat ik aan je heb.'
'Zeg je dit omdat jij je zin niet krijgt?'
'Mirjam, toe nou...'
'Het is toch zo, als mannen hun zin niet krijgen op dit gebied?'
'Dus je hebt hier wel ervaring mee?'
'Ja, ik heb een vriend gehad en wel meer dan één en met één van hen had ik echt verkering totdat...'
'Nou en...?'
'Hij wilde me...' Verder komt Mirjam even niet.
'Hij duwde me op de grond. Het was bij ons thuis en toen... Het is voor mij zo moeilijk... Begrijp je me, Theo?'
'Had het me verteld, lieverd. Het zal niet meer gebeuren, ik beloof het je.' Hij kust haar op haar wang.
'Zo bedoel ik het nou ook weer niet.'
'Toch wel, Mirjam. Je hebt een slechte ervaring in de liefde en daar kun je lang last van hebben. Liefde moet je geven en niet nemen.'
'Jij kunt het weten als een man die getrouwd is geweest.'
'Daarom is het ook moeilijk voor me, als je begrijpt wat ik bedoel.'

‘Heb je nooit een andere vrouw gehad na de dood van je vrouw?’

‘Nee…’

‘Zo’n knappe, rijke weduwnaar…?’

‘Ik had geen behoefte aan een andere vrouw. Het eerste jaar na de dood van mijn vrouw was het net of ik niet echt leefde. Wij hielden veel van elkaar en waren altijd samen op reis voor zaken of op kantoor.’

‘Ja, dat is zo.’

‘Het heeft een wond in me geslagen.’

‘Is die wond er nog steeds?’

‘Sinds ik jou heb leren kennen niet meer.’

‘Maar je kende me al toen je vrouw nog leefde.’

‘Toen zag ik je nog als onze secretaresse.’

‘Vreemd…’

‘Nee, Mirjam. Het is eigenlijk begonnen toen ik me eenzaam ging voelen en zoals elk mens naar liefde ging verlangen. Jij bent zo anders dan anderen. Jij voelde me aan als ik het moeilijk had. Toen ik je van de week vertelde over mijn ziekte, toen wist ik het zeker.’

‘Wat wist je zeker?’

‘Dat ik van je ben gaan houden.’

‘Maar je had me al een tijdje geleden meegenomen op een zakenreis en zo.’

‘Dat is wel zo, maar die vonk van liefde sprong pas echt over toen je me troostte.’

‘Vreemd, hoor…’

‘Nee, het is moeilijk als je ouder bent en een jong meisje wilt vragen, terwijl je te horen hebt gekregen dat je ongeneeslijk ziek bent,’ antwoordt Theo emotioneel.

‘Kunnen de artsen je niet behandelen?’

‘Nee.’

‘En bestralingen en zo?’

‘Ik heb een tumor op een gevaarlijke plaats.’

Het is een tijdje stil tussen hen beiden.

‘Als je liever niet met mij verder wilt...’

Verder komt Theo niet. Dan barst de grote zakenman in tranen uit en snikt: ‘Waarom eerst mijn vrouw... en nu...? Je kunt beter weggaan, Mirjam. Ik maak je alleen maar ongelukkig en ik wil niet dat je uit medelijden bij me blijft.’

Mirjam houdt zijn hoofd tussen haar handen, veegt zijn tranen weg en zoent hem op zijn lippen.

‘Je mag niet zo denken, Theo. Eerst denk je dat ik niet genoeg van je houd en nu ben je bang dat ik niet met je kan omgaan vanwege je ziekte.’

‘Jij mag je niet opofferen voor mij. Stel je voor dat ik binnen een jaar sterf of helemaal op bed kom te liggen.’

‘Dan is het mijn plicht om je als je vrouw te verzorgen.’

‘Mijn vrouw?’

‘Ja, Theo, ik wil je vrouw worden. Dat wil jij toch ook?’

‘Voor mij is het wat anders, het gaat om jou. Kan jij van een man houden die twintig jaar ouder is en ook nog ongeneeslijk ziek is?’

‘Ja, dat kan ik. Jij bent de man van wie ik hou. Liefde kijkt niet naar leeftijd. Nou ja, je bent toch geen tachtig? Dat zou heel wat anders zijn, maar je bent een knappe man van vijfenveertig van wie ik hou. Je bent lief. Die vonk waarover jij het had, die is bij mij ook overgeslagen. Ik kan niet anders, Theo, ik houd echt van je. Je moet me geloven, al is dat moeilijk voor je. Het is echt niet zo dat ik met je wil trouwen vanwege je rijkdom, zoals de meesten denken. Dat moet je goed onthouden, Theo. Zo zit ik niet in elkaar.’

‘Rijkdom kan een mens eenzaam maken. Mijn familie ben ik erdoor kwijtgeraakt uit jaloezie en vanwege het geld en de goederen die ze opeisten toen mijn vrouw gestorven was.’

‘Is het dan niet beter dat je niet met mij trouwt?’

'Je wilt toch niet met me gaan samenwonen?'
'Nee, dat in ieder geval niet.'
'Wat bedoel je dan?'
'Het is zo moeilijk. Mijn ouders denken ook dat ik met je ga om het geld, dat vind ik het ergste, mijn eigen ouders.'
'Toch is het wel begrijpelijk dat je ouders zo denken.'
'Hoezo?'
'Hun eigen dochter met een rijke, veel oudere man...'
'Veel ouders zouden er juist trots op zijn.'
'Nee, Mirjam, ik ben te oud voor je en dat speelt een grote rol bij jouw ouders, dat moet je niet vergeten. En dan weten ze nog niet eens dat ik ziek ben.'
'Dat kunnen we ze gerust vertellen. Ik wil open kaart spelen.'
'Toch kun je dat beter niet doen. Je maakt het alleen maar moeilijker voor jezelf.'
'Ze zijn toch tegen ons huwelijk.'
'Dat weet je nog niet.'
'Waarom praat je nu zo?'
'Als je ouders de waarheid weten en geloven in onze liefde, kan alles anders zijn, maar ze kunnen niet in ons hart kijken.'
'Dat kunnen alleen mensen die echt van elkaar houden,' antwoordt Mirjam.
'Laat ik eens in jouw hart kijken. Wat zie ik daar...?'
'Nou, zeg op?'
Theo buigt zijn hoofd naar haar toe en kust haar en fluistert: 'Ik voel je hart kloppen en het klopt ook voor mij en je mooie, donkere ogen stralen liefde uit... liefde voor mij! Ik laat je niet meer gaan, lieverd.'
'Wat kan jij romantisch zijn, zeg...'
'Dat moet jij ook zijn als je echt van me houdt,' zegt Theo terwijl hij met zijn ene hand door haar donkere, lange haar gaat.

'Dat kan ik ook, maar elke liefde is niet hetzelfde. Ik voel me geborgen bij jou. Ik heb veel liefde in mijn leven gemist. Mijn moeder is een vrouw die altijd druk is met haar gezin en bang is voor haar man, mijn vader. Als kind kreeg ik weinig liefde. Mijn broertje die nu vijftien is, zag ik een keer op zijn bed liggen met zijn kleren aan. Hij lag met zijn hoofd in het kussen en ik hoorde hem zachtjes huilen. Ik ging op de rand van zijn bed zitten, legde mijn hand op zijn hoofd en vroeg wat er was. Hij draaide zich om en keek me aan met betraande ogen, omhelsde me en zei verdrietig: 'Ik voel me zo eenzaam.'

Ik vroeg waarom. Hij antwoordde: 'Omdat pa niet van me houdt.'

'Hoe weet je dat nou?' vroeg ik.

'Ik zag ma huilen omdat pa boos was,' antwoordde hij.

Zo'n beeld kan ik niet vergeten. Hij lag later als een kind in mijn armen. Hij durfde er met mijn moeder niet over te praten, terwijl hij toch medelijden met haar had.'

'En jij?'

'Ik heb er vaak met mijn moeder over gesproken waarom ze zo verdrietig was. Dan begon ze over het geloof. Ze voelde zich zo zondig en huilde vaak om haar zonde en wilde graag bij de Heere zijn, kreeg ik dan als antwoord.'

'Dat is toch niet normaal?'

'Jij kunt zoiets niet begrijpen. Zij kon haar liefde niet kwijt aan haar man en durfde er niet met hem over te praten. Er was er maar Eén met Wie ze haar liefde kon delen en dat was voor haar de Heere God. Daar kon ze vrijmoedig over praten en ik kon daar ook met haar over praten. Mijn broertje begreep zoiets niet. Mijn vader is een eigengereid mens die zich moeilijk uit.'

'Jullie hebben een moeilijke jeugd gehad.'

'Ja, we mochten niet sporten zoals andere kinderen en hadden weinig vriendjes. Zondags moesten we de hele dag binnen zitten, maar we gingen wel twee keer naar de kerk.'

'Wat deed je dan zo'n hele dag?'

'Lezen...'

'Zeker uit de Bijbel?'

'Nee, dat niet. Het waren wel christelijke boeken.'

'En wat doen je ouders op zo'n dag?'

'Mijn vader leest prekenboeken en mijn moeder is meestal moe en slaapt in een stoel of zit doelloos voor zich uit te kijken. Soms leest ze een boek.'

'Ik kan het haast niet geloven.'

'Het is goed dat je het weet, als je naar ons thuis gaat, dan weet je waar je terechtkomt.'

'Wil je nog wel naar huis?'

'Het zal wel moeten.'

'Waarom?'

'Ik kan ze toch zomaar niet in de steek laten en bij jou blijven?'

'Waarom niet?'

'Nee, dat wil ik zelf niet.'

'Samenwonen mag niet, bedoel je?'

'Dat wil ik zelf ook niet.'

'We kunnen ook zonder je ouders trouwen.'

'Dat zou niet eerlijk zijn. Als meneer De Korte mijn ouders alles eerlijk heeft verteld, geloven ze ons misschien,' antwoordt Mirjam twijfelmoedig.

'Als ik je zo hoor, zien ze mij vast helemaal niet zitten.'

'Ik weet het niet. Mijn broertje zal trots zijn op zo'n man als jij.'

'Hoezo?'

'Hij had het een keer over een rijke directeur toen ik met je op zakenreis ging en mijn ouders daartegen waren.'

'Ik wil gewoon jouw man zijn en geen rijke directeur.'

'Jongens van zijn leeftijd kijken daar heel anders tegenaan,' antwoordt Mirjam.
'Wanneer wil je naar je ouders?'
'Nadat meneer De Korte bij mijn ouders is geweest,' antwoordt Mirjam beslist.
'Dan bel ik hem nu eerst,' zegt Theo terwijl hij de telefoon pakt en het nummer van het kantoor intoetst.
'Met mij,' zegt hij tegen het meisje van de receptie.
'O, bent u het, meneer?'
'Ja, geeft me meneer De Korte even.'
'Meneer De Korte moest een bezoek afleggen. Ik zal vragen of hij u terugbelt.'
'Dat is goed, maar wel meteen. Zeg dat maar tegen hem.'
'Zeker, meneer. Ik zal het doorgeven,' antwoordt het meisje beleefd.
'Maar hoe moet het dan met mij?'
'Wat met jou?'
'Hij zou mij toch ook excuus aanbieden?'
'O ja, dat is waar ook.'
'Hij zal toch niet hierheen komen?'
'Daar heb ik eerlijk gezegd niet bij nagedacht.'
'Als we nu eens toch naar mijn ouders gaan? Dan ontmoet ik daar misschien gelijk meneer De Korte.'
'Nee, daar komt alleen maar ellende van, als ik zo heb gehoord hoe je vader is. Hij is geen makkelijk persoon en daar heb ik liever Ben de Korte niet bij. Hij zal het al moeilijk genoeg hebben met je ouders en als wij er dan ook nog bij komen...'
'Je hebt gelijk.'
'Als hij belt zeg je maar dat ik wel een keer bij hem op kantoor kom,' antwoordt Mirjam.
'Zoals je wilt.'
Dan gaat de telefoon.
'Met Verschoot.'

'Dag, Verschoot. Ik ben bij haar ouders geweest. Het is in orde, meneer.'

'Goed, ik zal zelf wel praten met de ouders van Mirjam, dan hoor ik wel of u ze de waarheid hebt verteld,' antwoordt Theo kort.

'Maar hoe moet het dan met Mirjam? Kan ik haar spreken?'

'Hoe bedoel je?'

'Ik wil haar ook mijn oprechte excuus aanbieden...'

'Dat gaat zomaar niet per telefoon. Dat begrijpt u toch zeker wel?' zegt Theo kort.

'Moet ik dan naar u toe komen?'

'Wie zegt dat ze bij mij is?'

'Nou, ik dacht...'

'U denkt te veel aan zaken die u niet aangaan!'

'Goed, meneer, dan zal ik haar wel een keer op kantoor ontmoeten.'

'Dat lijkt me verstandiger,' antwoordt Theo terwijl hij de verbinding verbreekt.

'Is hij bij mijn ouders geweest?'

'Ja.'

'Hoe is het gegaan?'

'Dat zal wel goed gegaan zijn. Christenen onder elkaar lijken vaak alles met de mantel der liefde te bedekken, of heb ik het mis?' plaagt Theo.

'Je moet niet altijd spotten met christenen. Het zijn ook mensen met hun gebreken.'

'Dat heb ik gemerkt.'

'Het zal fijn zijn als jij ook christen wilt worden,' zegt Mirjam.

'Hoe kun je dat worden en hoeveel kost dat per jaar?'

'Theo, spot niet zo!'

'Alles draait om geld, die dominee van jullie werkt echt niet voor niks.'

'Zo'n man is vierentwintig uur per etmaal beschikbaar in zijn gemeente.'

'Een echte wel, ja.'

'Je kunt toch een keer meegaan naar de kerk? Je houdt toch van me? Ik ben christen en wil graag met jou in de kerk trouwen.'

'Dat is toch geen probleem, of moet ik dan eerst gelovig worden?'

'Dat kun je niet uit jezelf.'

'Hoezo niet?'

'Dat doet de Heere God zelf.'

'Dan heb je het over echt geloven, neem ik aan,' antwoordt Theo.

9

’s Avonds tegen acht uur staat Mirjams broer Johan voor het raam. Er komen veel auto’s door de straat, maar als hij op een gegeven moment een grote Mercedes voor hun huis ziet stoppen, dan gaan alle remmen bij Johan los.

‘Pa…! Ma…! Ze zijn er! Wat een slee! Die is echt cool en vet!’

‘Jongen, gebruik toch niet zulke taal,’ zegt zijn moeder. Haar man blijft gewoon in zijn stoel achter zijn krant zitten en doet net of hij niks gehoord heeft.

‘Karel, ze zijn er. Leg je krant nu weg. Kom, dan gaan we…’

‘Mens, doe gewoon. Het is de burgemeester niet.’

‘Moet je die slee zien! Die heeft onze burgemeester niet,’ zegt Johan tegen zijn vader.

‘Ga jij nou maar naar boven,’ antwoordt zijn vader.

Johan doet net of hij niks hoort en rent de deur uit naar de auto waar zijn zus uitstapt en een man die hij nog nooit heeft gezien. Hij heeft gehoord dat zijn zus met een heel rijke man gaat en dat vindt hij tof.

‘Ha, zus, is dat…?’ vraagt hij terwijl hij naar Theo kijkt.

‘Nee, dat is mijn chauffeur,’ plaagt Mirjam.

‘Echt? Komt hij dan zelf niet?’ vraagt Johan wat teleurgesteld, als hij een man ziet met een trui en een spijkerbroek aan.

‘Hij had geen zin toen ik hem vertelde dat ik zo’n vervelend en nieuwsgierig broertje heb.’

‘O…’

‘Nee, hoor,’ zegt Theo terwijl hij lachend Johan op zijn schouder tikt en vrolijk zegt: ‘Die zus van jou gebruikt mij als chauffeur. Ik heb nou al niks meer te zeggen. Je hebt een lieve zus hoor, maar ze is niet mis.’

‘Bent u dan…? Bent u het echt?’ vraagt Johan verbaasd. Hij heeft een heer in een deftig pak verwacht.

‘Gelukkig wel, Johan. Zo heet je toch?’

‘Ja, maar…’

‘Had je een knappe vent verwacht?’ lacht Theo nu hij ziet dat de jongen wat teleurgesteld is, omdat hij heel iemand anders had verwacht. Nu ziet hij een man die er gewoon uitziet en helemaal niet rijk lijkt met zijn vrijetijdskleding aan.

Johan ziet dat de man de hand van Mirjam vasthoudt. Hij heeft zijn ouders horen praten over een oudere man. Nou ja, hij is wel een beetje grijs aan de slapen, maar voor de rest lijkt hij veel jonger dan zijn vader.

Ze gaan naar binnen, Johan loopt achter hen aan. Mirjams moeder komt hen tegemoet. Ze omhelst haar dochter met tranen in haar ogen en geeft dan Theo een hand. Dan gaan ze naar de woonkamer, waar Karel nog rustig in zijn stoel achter de krant zit.

‘Pa…’ zegt Mirjam terwijl ze naar haar vader loopt.

‘O, ben jij het?’ zegt Karel wat onzeker, terwijl hij de krant op tafel legt.

Als Theo hem zijn hand toereikt, staat hij op en geeft Theo een hand.

Karel laat niks merken, maar is verbaasd als hij Theo ziet in een gewone trui en een spijkerbroek en hij lijkt zeker niet op een man van vijfenveertig. Heeft hij zich daarvoor in zijn zondagse pak gestoken?

‘Blijft u maar zitten,’ zegt Theo als Karel voor hem blijft staan.

‘Ja, dat is goed,’ antwoordt Karel die een beetje van slag is.

De moeder van Mirjam is ook verbaasd over deze man van wie ze zich een heel andere voorstelling heeft gemaakt.

Het is een tijdje stil tot moeder Anna de stilte verbreekt: ‘Hoe drinkt u de koffie, meneer?’

‘U moet me geen meneer noemen. Graag Theo.’

‘Nou ja, hoe drinkt u de koffie?’

'Ook graag geen u, mevrouw,' lacht Theo.

'Zeg dan eindelijk hoe je de koffie drinkt,' zegt Mirjam.

'Alsof jij dat niet weet,' plaagt Theo.

'Ma, geef hem maar gewoon een glaasje water, want hij doet aan de lijn,' antwoordt Mirjam.

'Kind toch...'

'Gewoon zwart, mevrouw, ik ben heel voordelig,' zegt Theo dan.

Karel weet niet wat hij hiermee aan moet. Is dat nou die grote zakenman over wie meneer De Korte het had, die bedrijven in binnen- en buitenland heeft? Dan lijkt die De Korte meer op een directeur.

'Nog genoeg geld op de bank?' vraagt Theo, die weet dat Karel op de bank werkt, met een glimlach op zijn gezicht.

'Hoe bedoelt u?' vraagt Karel verbaasd over zo'n rare vraag. Ook Johan kijkt Theo verbaasd aan. Wie vraagt er nou of er genoeg geld op de bank is? Dat moet je zeker niet aan zijn vader vragen.

'U werkt toch op de bank als ik het goed heb?'

'Dat is zo ja...'

'Dan heeft u zeker veel met geldzaken te maken? Neemt u me niet kwalijk, mijn vraag was als een grapje bedoeld,' zegt Theo die merkt dat zijn vraag verkeerd is gevallen.

'Theo zit vol grappen,' zegt Mirjam.

'Nu begrijp ik wat u bedoelt,' zegt Karel met een gemaakt lachje.

'U moet me geen u noemen. Graag gewoon Theo.'

Mirjam heeft in de gaten dat Theo toch wel bij hen in de smaak valt. Ze hebben een man verwacht met een buikje in een deftig pak en met een strak directiegezicht, maar Theo is buiten zijn zaak gewoon jong gekleed. Daar hebben ze niet op gerekend, beseft ze nu zelf ook.

Dan komt moeder binnen met de koffie. Ze brengt eerst

koffie bij Theo, terwijl ze gewend is eerst voor haar man te zorgen.

Mirjam en Theo zitten naast elkaar op de bank. Johan gaat naast zijn zus zitten.

'Heb je me gemist?' vraagt Mirjam terwijl ze hem aankijkt.

'Hoezo?'

'Je komt zo dicht bij me zitten.'

'Ik heb een computer gekregen,' zegt hij dan zachtjes.

'Een echte?' plaagt Mirjam.

'Ja, een laptop. Zal ik hem even halen of ga je mee boven kijken op mijn kamer?'

'Johan, ga jij eens naar boven,' zegt vader dan.

'Waarom...? Ik doe toch niks verkeerds?' zegt Johan terwijl hij zijn vader angstig aankijkt.

Theo heeft al snel in de gaten dat deze man een soort heerser in huis is en daarom zegt hij: 'Hij mag wat mij betreft wel hier blijven.'

'Hij moet zijn huiswerk maken. Schiet op jij, naar boven!' zegt vader dan met dwingende ogen.

'Kom je zo nog naar mijn computer kijken, Mirjam?'

'Mag ik ook kijken?' vraagt Theo terwijl hij Johan vriendelijk aankijkt.

'Komen jullie maar alle twee, ik kan er al goed mee overweg,' zegt Johan terwijl hij de kamer verlaat.

Als ze de koffie op hebben, kun je merken dat Theo een zakenman is. Hij kijkt de ouders van Mirjam aan en vraagt: 'Meneer De Korte is bij u geweest?'

'Ja...' antwoordt Karel wat moeilijk.

'Dus u begrijpt dat al die wilde verhalen over uw dochter uit de lucht zijn gegrepen en dat ik verliefd ben geworden op uw dochter.'

'U zegt het,' antwoordt Karel wat stug.

'Het lijkt me beter om er verder niet meer over te praten.'

‘Waarom niet?’ vraagt Mirjam verbaasd. Theo kijkt haar aan en houdt haar hand vast en zegt: ‘Je ouders praten er liever niet meer over.’

‘Maar ik wel! Mag het...?’ zegt Mirjam terwijl ze Theo van opzij aankijkt.

‘Het zijn jouw ouders en ik ben hier gekomen om me voor te stellen.’

Dan kijkt Mirjam haar ouders één voor één aan en zegt: ‘Er zijn nare dingen gebeurd en daar wil ik het nu niet over hebben, maar jullie moeten wel weten dat ik een serieuze relatie met Theo heb.’

‘Dat wisten we al,’ zegt haar vader.

‘Dus u heeft daar geen bezwaar tegen?’

‘Je bent vijfentwintig, dus oud genoeg om zelf een keuze te maken in je leven, maar vergeet niet dat de keuze die je als man of vrouw maakt, een keuze voor je hele leven is,’ zegt haar vader uit de hoogte.

‘Dat weet ik heel goed. Liefde kun je niet dwingen.’

‘Jij weet of het echt liefde is en anders moet je er maar eens goed over nadenken. Ik vind dat jullie te hard van stapel lopen en vooral jij Mirjam. Je bent een stuk jonger. Nu lijkt alles zo mooi: een rijke man en geen zorgen.’

‘U weet niet wat u zegt,’ valt Mirjam kwaad uit.

‘Dat weet ik heel goed. Nu merken jullie niet zoveel van het leeftijdsverschil, maar als jij veertig bent, dan is hij zestig en als jullie kinderen krijgen, en dat sluit ik niet uit, dan hebben de kinderen een oude vader, een soort opatype.

‘Als u zo praat kunnen we beter gaan,’ zegt Mirjam die nogal fel van karakter is, iets wat ze waarschijnlijk van haar vader heeft meegekregen.

‘Hoe moet het met de kerk en het geloof?’ vraagt Karel die zich niet minder voelt dan Theo, al is hij een van de rijkste mannen van Nederland.

'Ik geloof, maar niet zozeer in de kerk, maar in mijn Schepper.'

'Vergeet niet dat God niet alleen kerkmensen heeft geschapen, pa, maar ook mensen die niet kerkelijk zijn en daar is Theo er één van. God gaat een weg met mij, maar ook met Theo. Vergeet dat niet, pa,' antwoordt Mirjam emotioneel.

'Kind, wat ben je onnozel in het geloof. Er komt meer kijken dan een schepsel op aarde te zijn. Er is ook nog het verbond en daarvan heb jij bij de doop het zegel op je voorhoofd ontvangen en wij hebben moeten beloven jou Godzalig op te voeden. Dat hebben we geprobeerd en je hebt belijdenis van het geloof afgelegd, dat betekent dat je 'ja' hebt gezegd op de doop. Dat is heel wat anders dan voor de wereld weg te leven en elk schepsel hier op aarde een kind van God te noemen,' zegt Karel.

'Ten eerste is elk schepsel, hoe slecht of ongelovig hij of zij ook is, het eigendom van God. Bent u het daarmee eens?'

'Elk mens, dier en plant is het eigendom van God, maar vergeet niet dat Hij ook wegwerpt wat Hij afkeurt.'

Theo ziet als zakenman dat het uit de hand gaat lopen tussen vader en dochter en dat ze alle twee hetzelfde karakter hebben. Af en toe kijkt hij naar de moeder van Mirjam die aan de grote tafel zit met een zakdoek in haar hand, waarmee ze speelt. Hij ziet dat ze angstig naar haar man kijkt en af en toe lijkt het of ze ook iets wil zeggen in de zin van: Neem het mijn man maar niet kwalijk, hij weet niet beter.

Ze veegt af en toe een traan weg.

'Het lijkt me verstandig dat ik u laat zien hoe ik heb gedacht het leven met uw dochter te leven,' zegt Theo dan.

'Bent u gedoopt?'

'Ja...'

'Van welke kerk?'

'Rooms-katholiek.'

'Ja, ja, ik hoor het al,' lacht Karel spottend.
'Wat is daar mis mee?'
'Alles. Ik denk dat je de kerkgeschiedenis wel kent en dat je ook wel weet hoe de rooms-katholieken over bepaalde zaken denken,' zegt Karel tegen zijn dochter terwijl hij Mirjam aankijkt.
'U vergist zich,' antwoordt Theo.
'Nou ja, u zult het als rooms-katholiek wel beter weten.'
'Nee, ik probeer u uit te leggen dat het geloof op zich mij niks doet. Ik geloof dat er een God is en voor die God heb ik ontzag. Het is zoals Mirjam heeft gezegd: ik ben Zijn maaksel en dus Zijn eigendom. Verder heb ik op deze aarde, die ook Zijn eigendom is, zelf de verantwoordelijkheid om met mijn leven om te gaan zoals de natuur het ons heeft gegeven. God heeft geen kerken gebouwd en allerlei geloven en toestanden, dat hebben de mensen bedacht. Door al die geloven komen er steeds opnieuw oorlogen in deze wereld en zijn de mensen ongelukkig. God heeft het niet bedoeld zoals u erover denkt. God heeft mensen geschapen die van Zijn aarde en het leven dat Hij heeft gegeven, mogen genieten. Het leven kan kort zijn, als ik aan mijn vrouw denk...' zegt Theo dan bewogen.
'Dus jullie willen gaan trouwen?' vraagt Anna die nog steeds niets heeft gezegd.
'Ja, mam...'
'Fijn...' antwoordt haar moeder terwijl ze hen aankijkt.
'Dat zal dan niet in de kerk kunnen,' zegt Karel.
'Waarom niet?' vraagt Mirjam.
'Of je moet in de rooms-katholieke kerk trouwen, daar kan alles.'
'Dat maken we zelf wel uit,' antwoordt Mirjam kort.
'Als je maar weet dat ik niet in een rooms-katholieke kerk kom.'
'Dat heb ik ook niet van u verwacht,' zegt Mirjam.

'Het lijkt me verstandig dat we eens opstappen.'

'Moeten we niet even naar je broer z'n laptop gaan kijken?' vraagt Theo.

'O ja, ik zou door dit alles mijn broertje nog vergeten. Mag Theo even mee naar Johans kamer?' vraagt Mirjam.

'Natuurlijk,' antwoordt haar moeder.

Als ze boven zijn zien ze Johan achter zijn laptop zitten.

'Zo, broer, laat ons eens wat zien,' zegt Mirjam terwijl ze op zijn bed gaat zitten.

Theo pakt een stoel en gaat naast Johan zitten.

'O, dit is een spel?'

'Ja, kijk...'

'Ik zie het al, daar heb ik niet zoveel verstand van.'

'U gebruikt natuurlijk alleen internet,' zegt Johan.

'Nee, joh, ik werk met speciale programma's. Zal ik je er één laten zien? Ik denk dat het hier ook wel in zit.'

Theo drukt een paar toetsen in en dan komen er een paar mooie platen en tekeningen tevoorschijn met muziek.

'O, doe maar niet. Dat mag niet van mijn vader. Ik mag alleen dit spel maar doen en er wat huiswerk op maken.'

'Weet je wat? Kom maar eens een keer bij mij thuis bij je zus,' zegt Theo.

'Ga je dan bij hem wonen?' vraagt Johan.

Mirjam kijkt Theo aan en antwoordt: 'Dat weet ik nog niet, nieuwsgierig broertje.'

'Toch wil ik wel een keertje met jullie mee in die Mercedes,' zegt Johan.

'Dat kan wel, hoor. Vraag maar aan je ouders of je morgen bij ons mag komen, dan kom ik je ophalen. Goed?'

'Maar, Theo, dat kan toch niet?'

'Waarom niet?'

'Ik blijf vannacht hier slapen.'

'O ja, dat is waar ook.'

'Jullie zijn nog niet getrouwd en dan mag je nog niet bij hem wonen,' zegt Johan.

'Daar heb je gelijk in, Johan.'

'Of jullie moeten gaan samenwonen, dat doen heel veel mensen, onze buurman ook. Trouwen is ouderwets, zegt hij.'

'Je bedoelt Hans van hiernaast?'

'Ja.'

'Woont hij nog samen met Jannie?'

'Dat weet ik niet, hoor.'

'Kom, dan gaan we naar beneden. Dan neem ik maar afscheid van je ouders en van jou, Mirjam, als ik het goed begrijp. Je mag ook bij mij in de logeerkamer slapen.'

'Dat vertrouwen mijn ouders toch niet. Morgen zie ik je wel op de zaak of kom je me halen?'

'We nemen morgen nog een vrije dag en gaan vast wat dingen uitzoeken. Goed?' Zonder antwoord te geven geeft ze Theo een zoen.

Theo neemt afscheid van haar ouders. Mirjam geeft hem nog een zoen bij de deur, loopt mee naar zijn auto en als hij wegrijdt zwaait ze hem na. Dan gaat ze de woonkamer in, wenst haar ouders welterusten en gaat naar haar kamer. Als ze in bed ligt gaan er veel gedachten door haar heen.

10

Het is een stralende dag als Mirjam en Theo enkele maanden later trouwen. Er zijn veel genodigden, ook uit het buitenland. In de achterliggende weken zijn er verscheidene gesprekken tussen het verloofde paar en de dominee geweest en nu mag hun huwelijk kerkelijk worden bevestigd.

De dominee geeft hun een prachtige tekst mee: 'Geloof, hoop en liefde en de meeste van deze is de liefde.'

De predikant legt de tekst uit op een manier die helemaal past bij de toch wel bijzondere situatie: 'Geloof, ik heb er met jullie over gesproken toen ik jullie bezocht. Jullie zijn alle twee heel verschillend opgevoed en toch was er een lijn die jullie dicht bij deze tekst bracht. Jij, Mirjam mag de Heere kennen van kinds af. Je bent gedoopt en christelijk opgevoed. Je ouders zijn hun plicht nagekomen zoveel als in hun vermogen lag en dat was met vallen en opstaan, zoals het meestal bij ons mensen gaat. Toch heeft de Heere in jou gewerkt. Hij heeft jou het geloof in Hem gegeven. Je bent niet vanuit jezelf tot geloof gekomen. Je hebt me bekend dat de Heere God jou in je leven een bepaalde weg heeft laten gaan en dat was niet alleen de weg naar de kerk en alles wat daarbij hoort. Je hebt een gemis in jezelf gevoeld en in je gebed de Heere gezocht, omdat je geloofde dat Hij je zou leiden in deze wereld die vol valkuilen zit, vooral als je tot geloof komt. Ook David laat vaak merken in zijn psalmen, dat er valkuilen en strikken in zijn leven zijn.

Bij jou, Theo, is dat heel anders. Je bent rooms-katholiek opgevoed en je hebt me eerlijk verteld dat je met die opvoeding niets hebt gedaan. Jij niet, nee... Toch heb ik in onze gesprekken geproefd dat je niet zonder God door het leven wilt gaan en je hebt bekend dat je gelooft dat Hij jouw Heere en Schepper is.

Dan is er de hoop: Wij mensen hopen dat de Heere onze God wil zijn en dat Hij ons wil leiden door deze wereld. Ik spreek nu de hoop uit dat God geeft dat jullie nog lang samen gelukkig mogen zijn.

Tenslotte is er de liefde. Zonder liefde voor elkaar zouden jullie hier nu niet zijn. Liefde is een goed dat de Heere de mensen geeft. De wereld kan hard en liefdeloos zijn en dan is het zo mooi als twee mensen elkaar oprecht lief mogen hebben. Maar het belangrijkste is de basis van die liefde: God lief hebben boven alles en onze naaste als onszelf. Dat is allebei moeilijk, maar God wil ons daarin bijstaan, want Hij heeft ons ook lief en Hij gaat met ons en jullie mee.

Wat bedoelt de Heere God met de woorden: '...en de meeste van deze drie is de liefde'? Zonder de liefde tot God kan een mens niet behouden worden. Wat zeg ik nu? Ja, lieve mensen, het is waar. Eenmaal zullen we voor God verschijnen en dan blijven hoop en geloof achter in deze wereld. Als je bij Hem mag zijn, heb je die niet meer nodig. Het moet dan zekerheid zijn en Hij is zelf LIEFDE met hoofdletters. Als je op aarde die liefde van Hem niet hebt gekend en ook niet de liefde tot je naaste, hoe kun je Hem dan ontmoeten Die de volmaakte LIEFDE is?'

Het is erg stil in de kerk. Zelfs Theo kan deze eenvoudige uitleg begrijpen en kijkt af en toe opzij naar Mirjam in haar prachtige bruidsjapon. Deze predikant heeft levenservaring. Hij is bij hen thuis geweest en ze hebben goede gesprekken met hem gehad. Ze hebben zelf gekozen voor deze trouwtekst uit 1 Corinthe 13. Ze hebben toen ook al wat uitleg gekregen, want vooral voor Theo is het allemaal nieuw. Zelf heeft hij nooit zo indringend over het geloof nagedacht. Hij dacht dat mensen van de kerk alleen maar goed wilden zijn en zoals hij vroeger heeft geleerd zoveel mogelijk goede werken wilden doen en daar schoot hij al in tekort. Je naaste liefhebben als jezelf, daar heeft hij vaak moeite mee. Natuurlijk heeft hij Mirjam erg lief, maar zijn eigen ik gaat nog vaak voorop, bekent hij zichzelf eerlijk. God lief hebben boven alles, kan hij dat? Toch... hij veegt snel een traan weg. Als hij denkt aan zijn ziekte... Nee, nu niet aan denken. Het is hun trouwdag. Hij trouwt de liefste vrouw van de hele wereld.

Als ze de kerk uitgaan en naar het restaurant rijden met familie en kennissen, pakt hij Mirjams hand en zoent haar voorzichtig.

'Nu ben je mijn vrouw, lieverd.'

'En jij mijn man, schat.'

'Hoe voel jij je nu als vrouw van zo'n oude man?' lacht Theo.

'Het is niet aan je te zien, jongen,' antwoordt Mirjam vrolijk terug.

'Dank je, schat.

'Hoe gaat het met je?'vraagt Mirjam bezorgd.

'Je zag erg wit onder de dienst.'

'Gaat wel...'

'Heb je je medicijnen ingenomen?'

'Ja, hoor. Ben je nu al aan het moederen?'

'Dat moet ik wel met jou.'

'Waarom?'

'Je bent vaak slordig met je medicijnen.'

'Daar heb je gelijk in. Soms voel ik me zo goed en neem ik ze gewoon niet in, maar de dag daarna is het dan goed mis.'

'Je moet goed voor jezelf zorgen.'

'Dan heb je niet goed naar de dominee geluisterd.'

'Je naaste liefhebben als jezelf, bedoel je?'

'Ja.'

'Dat doe ik toch?'

'Maar ik niet.'
'Hou jij meer van jezelf?'
'Nee, hoor. Het is maar een grapje.'
'Toch is het vaak moeilijk.'
'Hoe bedoel je?'
'God liefhebben boven alles en je naaste als jezelf.'
'Dat kan een mens niet uit zichzelf.'
'Toch is dat het grootste gebod.'
'God weet dat wij zwak zijn…'
De bruidsauto stopt voor het grote restaurant. Ze lopen door een erehaag naar binnen en daar worden ze opgewacht door het personeel van het restaurant en wordt hun verteld waar ze moeten staan om de gasten die hen willen feliciteren, te ontvangen en de cadeaus in ontvangst te nemen.

Als ze allemaal zitten en er om stilte wordt gevraagd in de grote feestzaal met familie en vrienden en zakenlui uit de hele wereld, is er een verrassing.

Er komt een groot koor van de kerk binnen en dat gaat op een podium staan. Het is het koor waarvan Mirjam zelf ook lid is en waarmee ze vaak heeft gezongen.

Dan klinkt het prachtige lied van de liefde op basis van 1 Corinthe 13.

Al sprak ik met een mensentong
Of dat ik met de engelen zong,
Al had ik gaven van een profeet
Die alles van de toekomst weet,
Maar had de liefde niet, ik ware niets.
Wat ik ook zei, niets baatte mij.
Al was het geloof volgroeid in mij,
Zodat de bergen gingen opzij,
Al gaf ik op mijn levenspad
Aan andere mensen wat ik had,

Maar had de liefde niet, ik ware niets.
Wat ik ook zei, niets baatte mij.

De liefde is lankmoedig.
De liefde is goedertierenheid.
De liefde kent de afgunst niet,
Noch praal noch trots die zij ooit ziet.

De liefde is zo vol geduld,
De waarheid wordt in haar vervuld.
Alles gelooft zij, alles hoopt zij,
Zij is verdraagzaam tot in eeuwigheid.
Zij kwetst geen menselijk gevoel
En nooit zoekt zij zichzelf tot doel.
Al wordt haar onrecht aangedaan,
Het kwade rekent zij niet aan.
De liefde is zo vol geduld,
De waarheid wordt in haar vervuld.
Alles gelooft zij, alles hoopt zij,
Zij is verdraagzaam tot in eeuwigheid.

De profetie wordt afgedaan,
Kennis en tongen zullen vergaan.
Wat onvolkomen was moet gaan,
Alleen de liefde blijft, de liefde blijft bestaan.
De liefde is zo vol geduld,
De waarheid wordt in haar vervuld.
Alles gelooft zij, alles hoopt zij,
Zij is verdraagzaam tot in eeuwigheid.

Een kind ervaart slechts als een kind
Dat door zijn vader wordt bemind.
Eens zal de toekomst opengaan

En Hij in liefde voor mij staan.
De liefde is zo vol geduld,
de waarheid wordt in haar vervuld.
Alles gelooft zij, alles hoopt zij,
Zij is verdraagzaam tot in eeuwigheid.

Onder het zingen moet Mirjam vaak een traan wegvegen, zo'n prachtig lied, gebaseerd op hun trouwtekst. Ze heeft er nooit van gehoord.

Na het zingen komen de leden van het koor hen feliciteren. Ze krijgen allemaal gebak met een drankje en blijven dan nog gezellig een poosje.

Aan het einde van de avond wacht Mirjam een grote verrassing. Een van de zakenvrienden van Theo staat op en gaat op het podium staan. Hij is een Amerikaan en directeur van een vliegtuigmaatschappij.

'Beste Mirjam en Theo. We zijn al jaren vrienden, Theo, maar ook als zakenmensen hebben we dikwijls contact. Jullie willen niet op huwelijksreis, heb je me verteld en dat kan ik goed begrijpen. Je hebt een prachtig landgoed met een heerlijk huis en jullie hebben als zakenmensen, net als ik, al veel van de wereld gezien. Toch nodig ik jullie nu uit met mij mee te gaan. Jullie gaan met mij mee naar Amerika naar de Key eilanden onder Florida en logeren daar net zo lang als jullie willen in mijn huis. Jullie komen hier echt niet onderuit.

'Maar ik moet... mij... Dat kan toch niet, Theo?' zegt Mirjam nerveus.

'Je hoeft je nergens druk om te maken, voor alles is gezorgd, Mirjam. Gaan jullie mee?'

'Mogen we wel afscheid nemen van onze familie en gasten?' vraagt Mirjam.

'Oké, maar wel opschieten,' zegt meneer Amstrong

Onder veel applaus verlaten ze de feestzaal. Voor hen uit loopt Alfred Amstrong.

Er staat voor het restaurant een grote taxi te wachten. Ze stappen achterin en meneer Amstrong gaat naast de taxichauffeur zitten. De familie en de genodigden zwaaien hen na.

Als ze onderweg zijn naar Schiphol zegt Theo: 'Man, wat haal je me nu weer uit? Dit kun je toch niet zomaar onverwacht doen?'

'O nee...?'

'Wij wilden lekker thuis genieten van onze rust.'

'Zeker in dit koude kikkerlandje. Je bent wel eens vaker bij mij op de Key eilanden geweest en je hebt er altijd genoten. Toen ik het mijn vrouw voorstelde zei ze meteen: Dat moet je echt doen, Alfred, Theo had het hier altijd zo naar zijn zin.'

'Ja, dat was een mooie tijd,' antwoordt Theo zacht.

'Zou je lieve vrouw Mirjam er dan niet van mogen genieten?'

'Het is allemaal zo onverwacht,' antwoordt Theo terwijl hij Mirjam aankijkt.

'Je bent toch geen oude kerel? Denk ook eens aan je jonge bruid,' lacht Alfred Amstrong.

'Nou, eerlijk gezegd denk ik niet dat Mirjam er spijt van zal krijgen. Ik ben alleen maar bang dat ze niet meer terug wil, als ze daar eenmaal is,' zegt Theo met een gulle lach op zijn gezicht. 'Mirjam, het is er echt prachtig.'

'Als jij het graag wilt, anders gaan we niet. We laten ons niet zomaar ontvoeren,' plaagt Mirjam vrolijk.

'Ik hoor het al, ze heeft er best zin in.'

'Dan heb je niet goed geluisterd,' zegt Theo.

'Dat Nederlandse taaltje van jullie leer ik nooit,' antwoordt Alfred Amstrong.

Ze stappen bij Schiphol uit de taxi en lopen door de controle.

Ze worden meteen opgevangen door de piloot van Alfred z'n vliegmaatschappij.

Ze stijgen al gauw op en vliegen even later boven de wolken. Na een aantal uren vliegen komt het verschil van dag en nacht al duidelijk te voorschijn.

'Kijk eens wat mooi, daar komt de zon al op en dan over die mooie, witte wolken. Het lijken net sneeuwbergen, prachtig,' zegt Mirjam die al geniet van de vlucht. Ze krijgen eten en drinken aan boord van het vliegtuig.

'Hoe ben je op het idee gekomen?' vraagt Theo.

'Ten eerste vond ik het een hele eer om op jullie bruiloft uitgenodigd te zijn. Jammer dat mijn vrouw wat ziekelijk is, anders zou ze graag mee zijn gegaan. Je weet dat er bij ons veel Nederlanders wonen en ik dacht: 'Dat lijkt Theo en Mirjam vast wel wat!' Je was zo gek van dat jacht van ons en van onze zoon met zijn vriend met die dolfijn, weet je nog?'

'Of ik dat weet. Dolfi heet die dolfijn als ik het goed heb. Dat dier is beroemd geworden door het redden van mensen en ook jullie zoon heeft hij gered.'

'Ja, het is een prachtbeest. Mirjam zal er echt van genieten.'

'Toch ben je wel brutaal,' zegt Theo.

'Waarom?'

'Je kunt toch niet zomaar een bruidspaar verplichten met jou mee te gaan?'

'Je weet hoe ik ben. Jullie familie en ook de mensen van je bedrijf heb ik eerst ingelicht, want anders gaan ze jullie nog missen ook.'

'Je bent een rare vogel,' lacht Theo.

'Zakenlui zijn een beetje vreemd,' antwoordt Alfred Amstrong.

'Daar heeft u gelijk in,' antwoordt Mirjam vlot.

Ze landen op het grote vliegveld bij Miami in Florida.

De grote Mercedes van Alfred Amstrong staat klaar bij het

vliegveld. De chauffeur kijkt wel vreemd als hij een onbekend echtpaar in zijn auto krijgt.

'Op naar de vrouw,' zegt Amstrong. 'Deze vrienden zijn net getrouwd in Nederland,' legt hij dan uit.

'In Nederland?'

'Je kent toch dat kikkerlandje in Europa wel?'

'Kikkerlandje?'

'Je weet wel waar al die mensen op houten schoenen lopen en waar die mooie tulpen vandaan komen,' zegt Alfred gekscherend.'

'Dat zijn klompen, Alfred,' zegt Theo terwijl hij zijn lach niet kan inhouden.

'Dat weet ik wel, maar hij weet niet wat klompen zijn.'

'Nooit van gehoord,' antwoordt de chauffeur.

'Kun je niet wat sneller rijden? Ik betaal je toch niet per uur?' zegt Alfred.

'Goed, meneer.'

Dan vliegen ze over de grote wegen van Florida tot ze de eilanden van Key West naderen. Ze moeten uitstappen en naar een kleine haven lopen.

Veel mensen kijken verbaasd naar Mirjam in haar mooie bruidsjapon die ze toch maar aangehouden heeft. De mensen denken dat er een bruiloft is en zwaaien en klappen in hun handen. In de haven ligt het grote jacht van Alfred Amstrong.

De matroos die Bill heet, en de kapitein heten hen hartelijk welkom op het jacht.

'Wat is het hier mooi!' zegt Mirjam verbaasd.

'Nog geen spijt?' vraagt Theo.

'Nee, schat. Het was toch best een goed idee van je vriend,' antwoordt Mirjam.

'Wacht maar af, die man zit vol verrassingen.'

'Toch geen gekke dingen, hoop ik.'

'Je kunt van hem van alles verwachten. Hij had het toch over die dolfijn, die Dolfi?'

'Ja, wat is daarmee?'

'Die heeft hij verleden jaar naar Nederland laten komen en ook een hele Nederlandse familie. Je zult ze hier wel een keer ontmoeten.'

'Een dolfijn vanuit Amerika naar Nederland naar de Noordzee? Zeker met een boot?'

'Nee, in een vrachtvliegtuig.'

'Volgens mij heb ik daar toen iets over in de krant gelezen. Was het niet dicht bij Texel?'

'Dat heb je goed.'

'Dan is hij zeker steenrijk?'

'Hij is directeur van een grote vliegtuigmaatschappij hier in Amerika.'

'O, wat is dit een prachtig jacht, zeg!'

'Kom, we gaan beneden in de salon wat drinken,' zegt Alfred Amstrong.

Dan varen ze een kleine haven binnen.

Als ze van de boot afgaan, komt hen een vrouw tegemoet met een jongen.

'O, wat ben je mooi, Mirjam! Wat een pracht van een bruid heb jij uitgekozen, Theo,' zegt mevrouw Amstrong terwijl ze hen beiden zoent.

Hun zoon Jim geeft hen een hand en dan lopen ze naar een schitterend buitenhuis.

Als ze binnenkomen kijkt Mirjam verbaasd rond, zo deftig is alles en wat hebben ze vanuit hun kamer een prachtig uitzicht...!

'Ik kan toch niet al die tijd dat we hier zijn in mijn bruidsjapon rond blijven lopen?' zegt ze dan.

Mevrouw Amstrong schuift een van de kastdeuren open en zegt: 'Kies maar iets uit, kind.'

'Dat is gewoon te gek,' zegt Mirjam verbaasd.
Ook voor Theo is er een kast met kleren.
'Kleden jullie je eerst maar om, dan gaan we daarna dineren en dan kunnen jullie gaan slapen. Het is tenslotte jullie huwelijksnacht. Jullie zullen best moe zijn na zo'n lange dag,' zegt mevrouw Amstrong vriendelijk.

11

Ze zijn alweer twee maanden getrouwd en hebben genoten bij de familie Amstrong in Florida op Key West. Wat een prachtig land, daar is alles waarvan een mens kan genieten. Altijd zon en prachtige eilanden. Ze hebben veel gevaren met het grote jacht. Alfred en zijn vrouw bleken echte vrienden te zijn en ook hun zoon Jim is een fijne vent en niet te vergeten die jongen bij de politiepost met zijn dolfijn Dolfi. Wat hebben ze van alles genoten! Helaas zijn de drie weken snel voorbij en het drukke zakenleven roept hen weer tot de werkelijkheid.

'Zal ik vanmiddag maar met je mee gaan naar die arts?'

'Nee, liever niet. Je kunt beter op kantoor blijven,' antwoordt Theo van achter zijn bureau.

'Ik kan hier vanmiddag best gemist worden. Tijdens onze vakantie is het hier ook goed gegaan.'

'Toen was Ben de Korte hier nog.'

'Je had hem beter niet weg kunnen sturen, hij kan ons goed vervangen en wist overal van,' zegt Mirjam.

'Hij wist te veel. Het werd tijd dat hij hier wegging.'

'Je bedoelt omdat hij mijn vader over onze verhouding heeft verteld?'

'Zoiets heb ik nooit van hem verwacht. Hij was een van mijn beste medewerkers.'

'Jaloersheid kan een mens ver laten zakken. Gaat het goed met zijn vervanger?'

'Hij is niet dom en heeft al wat jaren in het zakenleven gezeten bij een grote firma. Toch is hij vaak kortzichtig,' antwoordt Mirjam.

'Hoezo?'

'Soms stoot hij zaken af die best belangrijk zijn.'

'Hou een oogje in het zeil,' zegt Theo zakelijk.

'Daar is hij niet zo van gediend. Als ik hem wat uitleg,

gaat hij even later naar jou en vraagt of je het er wel mee eens bent.'

'Je bent toch niet jaloers?'

'Plaats je mij dan ook over naar een afdeling hier ver vandaan?'

'Soms denk ik er wel eens aan. De hele dag bij elkaar op kantoor is ook niet goed voor een huwelijk,' lacht Theo.

'Je meent het niet,' antwoordt Mirjam terwijl ze hem een zoen geeft.

'Zie je nou wel? Dat kan niet op het werk.'

'Niemand die het ziet. Iedereen klopt netjes op de deur van de grote baas en wacht tot hij 'ja' zegt. Ik kan het weten, schat.'

'Ja, jij hebt ook vaak achter die deur moeten wachten, toen je mijn secretaresse nog was. Nu werk je aan de andere kant van die deur, bijna bij de directeur op schoot. Hoe heb je dat toch voor elkaar gekregen?' plaagt Theo.

'Hij was zo lief! Ik kon het niet langer volhouden achter die deur,' grapt Mirjam terug terwijl ze bij hem op schoot gaat zitten en hem omarmt.

Dan is er een korte klop op de deur en voor Theo 'ja' kan zeggen gaat de deur open en staat Ronny Terfont, de vervanger van Ben de Korte, in hun kantoor.

Mirjam laat snel Theo los en gaat staan.

'Kunt u niet wachten totdat ik toestemming geef om binnen te komen?' zegt Theo kort en krachtig.

'Neemt u mij niet kwalijk, ik heb op de deur geklopt en hoorde niemand en dacht dat u er niet was, maar alleen uw vrouw.'

'Dan hoor je nog te wachten, totdat zij je toestemming geeft om binnen te komen. Begrepen!'

'Ja, meneer.'

'Wat heb je voor zaken?'

'Ik wilde u over deze zaak spreken, het is nogal duister voor mij,' antwoordt Ronny Terfont, terwijl hij een map met papieren op Theo's bureau legt.

'Bespreek het maar met mijn vrouw.'

'U weet toch dat ik deze zaak liever met u zelf bespreek. U kent deze zaak goed en de firma wil graag een gesprek met u.'

'Dat kan wel zijn, maar mijn vrouw heeft hier net zoveel zeggenschap als ik. Als zij er niet uitkomt bespreekt ze het wel met mij. Duidelijk?'

'Goed, meneer.'

Ronny loopt naar Mirjam, die inmiddels achter haar bureau zit en geeft haar de stukken.

Als hij weg is zegt Theo: 'Hij moet nog veel leren.'

'Hoezo?'

'Hij is brutaal. Als je niet uitkijkt wordt hij jou de baas. Je moet hem wat steviger aanpakken.'

'Toch had hij wel gelijk wat die zaak betreft. Je kunt het beter zelf behandelen.'

Theo kijkt haar aan en zegt met een wat zachte stem: 'Jij bent mijn vervanger. Als er wat met mij gebeurt, dan...'

'Er gebeurt niks met jou. Je moet niet zo emotioneel gaan doen, Theo.'

'Toch moet je er rekening mee houden en dan wil ik dat hier de zaak gewoon doorgaat.'

'Dat lukt me nooit zonder jou. Ik kan je immers niet missen... Wat kan mij de zaak schelen als jij er niet meer bent?' antwoordt Mirjam eerlijk.

'Dat dacht ik ook toen mijn vrouw er niet meer was. De eerste tijd was het moeilijk. Toch is het beter om gewoon je werk weer op te nemen.'

'Praat niet zo...'

'Toch moet je er rekening mee houden.'

'Ik ga vanmiddag met je mee naar die arts in het ziekenhuis.'

'Waarom zou je?'

'Ik ben je vrouw, weet je dat nog?' zegt Mirjam ernstig 'Zoals je wilt.'

's Middags gaan ze samen naar het ziekenhuis. Ze zijn op tijd. Nadat ze een kwartier hebben gewacht, wordt Theo door een verpleegkundige naar binnen geroepen. Mirjam loopt mee. Achter een tafeltje zit een wat gezette man in het wit achter zijn computer. De arts staat op hen geeft hen een hand.

'U heeft twee weken geleden wat scans laten maken en hebt wat andere onderzoeken ondergaan,' zegt de arts terwijl hij Theo over zijn bril aankijkt.

'Dat klopt. U wilde graag zekerheid hebben.'

'Juist.'

Dan blijft het even stil. De arts bladert wat in de map met gegevens over Theo, toetst een paar keer op het toetsenbord van zijn computer, kijkt Theo opnieuw aan en zegt voorzichtig: 'Het ziet er niet zo best uit, het is er niet beter op geworden.'

'Hoe bedoelt u?'

'U weet dat u een kwaadaardige tumor bij de rechterheup hebt waar we weinig aan kunnen doen. De bestralingen en de medicijnen brengen ook geen verbetering. Ik moet u eerlijk vertellen dat er uitzaaiingen zijn naar uw longen...'

Theo trekt wit weg. Mirjam houdt zijn hand vast.

'Kijkt u maar,' zegt de arts terwijl hij hen het scherm van de monitor laat zien en hij wijst met zijn pen de uitzaaiingen aan.

Theo kan alleen maar knikken.

'Voor alle zekerheid laat ik nog een paar foto's maken en uw bloed onderzoeken en dan kan ik pas echt zeggen of we nog iets kunnen doen om het proces tot staan te brengen, zodat de uitzaaiingen niet verder gaan. Neemt u me niet kwalijk, ik had u liever een betere boodschap meegegeven, maar helaas...' zegt de arts terwijl hij Theo over zijn bril aankijkt en dan ook Mirjam.

'Is er dan helemaal niets aan te doen? Opereren of zo?'

'Zoals het er nu uitziet, nee, helaas... We doen voor alle zekerheid nog wat nieuwe onderzoeken en als we dan een beter beeld hebben praten we verder.'

Voordat ze het goed beseffen staan ze weer op de gang. Mirjam pakt Theo zonder wat te zeggen bij zijn hand en dan lopen ze zwijgend naar de parkeergarage.

'Zal ik rijden?' vraagt Mirjam.

'Nee...'

Als ze de parkeergarage uitrijden vraagt Mirjam: 'Gaat het, Theo?'

Hij knikt en houdt zijn lippen stijf op elkaar, hij vecht tegen zijn emoties.

'Je gaat vandaag niet naar kantoor.'

'Waarom zou ik niet?'

'Omdat je wat tot rust moet komen.'

'Ik voel me prima,' antwoordt Theo met een gemaakte glimlach.

'We gaan naar huis, we moeten dit eerst samen verwerken, Theo.'

'Zoals je wilt.'

Ze rijden naar huis. Theo zet de auto voor het huis in plaats van in de garage.

'Waarom zet je de auto niet binnen?'

'Ik moet zo nog weg.'

'Waarheen?'

'Dat zeg ik zo wel.'

Theo pakt een fles wijn uit het wijnrek en schenkt twee glazen vol. Ze drinken alle twee hun glas leeg zonder wat te zeggen.

Theo wil opnieuw de glazen volschenken.

'Niet doen, Theo.'

Toch schenkt hij zijn eigen glas opnieuw vol en zegt dan:

'Laten we genieten van de tijd die we samen nog hebben, want die kan kort zijn. Ik ben echt niet van plan zielig in een hoekje te kruipen.'

'Dat hoeft ook niet, lieverd.'

Dan laat Theo zich gaan en snikt: 'Waarom...? Het is niet eerlijk...! Eerst mijn vrouw... en nu ik samen met jou verder wil gaan...'

Mirjam gaat naast hem op de bank zitten, legt haar arm om hem heen en veegt zijn tranen weg.

Dan kijkt hij haar aan en vraagt: 'Waarom ben je met me getrouwd? Je wist dat dit kon gebeuren... Ik heb je het van tevoren verteld. Nu...'

'Theo, ik houd van je. Al had je nog maar twee weken te leven, dan zou ik nog van je houden. Liefde kun je niet aan de kant zetten. Je hebt net gezegd dat je wil genieten van de tijd die je nog mag leven...'

'Maar hier in mijn hoofd blijft die angst voor de dood... Het is zo moeilijk om het te aanvaarden...'

'Dat begrijp ik, lieverd. Wij mensen houden geen rekening met de dood, maar de dood wel met ons. Elk moment van de dag sterven er mensen en wij zijn ook mensen die eenmaal moeten sterven. Het is maar goed dat we niet weten wanneer,' zegt Mirjam.

'Maar mij is het wel aangezegd.'

'Ze gaan opnieuw foto's maken en doen nog wat andere onderzoeken. Wie weet mag je nog heel lang leven. Misschien overleef je mij nog wel,' zegt Mirjam bemoedigend.

'Toch zag die arts het niet zitten...'

'We moeten nuchter blijven en er rekening mee houden en samen vechten om verder te kunnen gaan.'

'Hoe verder?'

'Zoals jij ons leven wilt invullen. Je hebt net nog gezegd dat je wil genieten van het leven.'

'Het is zo moeilijk! Had ik maar de kracht die mijn vrouw had. Ze werkte gewoon door totdat ze op bed kwam te liggen en na een moedig gedragen ziekbed is ze rustig ingeslapen.'

'Zou jij dan gewoon door willen werken op kantoor?'

'Ik weet het gewoon niet. Soms denk ik: Was het maar meteen afgelopen...' snikt Theo.

'Niet zo somber denken. Ik ben er ook nog... We kunnen toch van elkaar genieten? Je hoeft het niet alleen te dragen. God is bij ons en Hij zal ons terzijde staan.'

'Ik had je dit niet aan mogen doen...'

'Wat niet?'

'Dat je met mij getrouwd bent.'

'Houd je van me, Theo?'

'Ja, maar...'

'Niks maar...! Het leven zit vol maren.'

'Je had met een gezonde jongeman kunnen trouwen en nu zit je hier met een oude, zieke man.'

'Nee, Theo, jij bent mijn alles. Ik ben er voor jou en vergeet niet dat de Heere God het zo heeft gewild. Ken je het verhaal van Adam en Eva uit het paradijs dan niet?'

'Wat heeft dat met ons te maken?'

'Heel veel.'

'Dat zie ik niet zo. De Bijbel zegt me niet veel.'

'Toch is het goed om er eens in te lezen, Theo, want dan lees je ook waarom de Heere God Eva heeft geschapen. Zij was als een hulpe voor hem om hem bij te staan in het leven.'

'Adam was niet ziek en die Eva ging van de verboden vrucht eten. Zo goed was de eerste vrouw van de wereld nou ook weer niet,' zegt Theo opstandig.

'Waarom wil je alleen de verkeerde dingen van de Bijbel zien?'

'Het is toch de waarheid? Je hebt eens gezegd: Waren er geen zonden, dan waren er ook geen wonden.'

'Dat is ook zo.'
'Dank je.'
'Zo bedoel ik het niet, Theo. Het is niet persoonlijk bedoeld. Als er geen zonde in de wereld was gekomen, dan zouden er ook geen ziekten zijn en was er het paradijs en geen dood.'
'Dus het komt door de zonde dat ik ga sterven?'
'Iedereen gaat sterven. Toch is er altijd hoop voor een mens. Je hebt het op onze trouwdag in de kerk gehoord: geloof, hoop en liefde en dat God Zijn eigen Zoon aan ons heeft gegeven. Is dat geen grote Liefde?'
'Wat heb ik daaraan?'
'Heel veel, Theo. Hij is gestorven en wat meer is: opgestaan uit de dood. Hij verlangt van jou alleen een antwoord.'
'En dat is...?'
'Dat je Hem liefhebt en hoopt en gelooft dat Hij ook jouw Verlosser mag zijn.'
'Makkelijk praten als je gezond bent.'
'Nee, Theo, dat is niet makkelijk. Het is moeilijk om hier op aarde te geloven, dat besef ik heel goed en er staat niet voor niets: Strijd om in te gaan en strijd de goede strijd.'
'Je kent veel bijbelteksten. Mijn opa was vroeger net zo. Hij las veel in de Bijbel, wat maar weinig rooms-katholieken doen. Die laten veel over aan de priester en de kerk. Bij jullie is dat anders. Jullie horen elke zondag de uitleg vanuit de Bijbel. Toch mis ik één ding bij jullie.'
'En dat is...?'
'De biecht.'
'De biecht...?'
'Ja. Zelf ben ik bijna nooit gaan biechten en toch heb ik er vaak behoefte aan gehad, vooral toen mijn vrouw pas was overleden. Je kunt alles kwijt aan die priester die aan de andere kant in het hokje zit. Jullie spreken niet vaak persoonlijk met

jullie dominee en dan vertellen jullie hem nog niet alles.'

'Toch mag dat wel en we hebben ook ouderlingen met wie we kunnen praten.'

'Vertrouw jij hun je diepste gevoelens en zonden toe?'

'Dat hoeft niet. Er is ook nog zoiets als bidden en dan mag je de Heere God alles vertellen en vragen.'

'Dat vind ik juist zo moeilijk. Je krijgt geen antwoord op je vragen. Het gaat het luchtledige in. Er is geen troost. Je kunt het niet echt kwijt.'

'Je kunt er ook met anderen over praten, met je vrouw bij voorbeeld.'

'Dat doe je niet zomaar. Als kind heb ik eens geld van mijn ouders gestolen om met mijn vrienden naar de bioscoop te gaan, want er draaide een mooie film. Die nacht kon ik niet slapen. Mijn ouders hadden geld genoeg en daarmee praatte ik het goed, maar mijn geweten liet me niet met rust en ik mocht ook niet naar die film. De andere dag ben ik gaan biechten. Je zult het niet geloven, maar ik was opgelucht toen ik mijn hart had gelucht in dat hokje bij die priester.'

'En heb je het ook aan je ouders verteld?'

'Daarna. Ze vonden het niet leuk, maar waren blij dat ik was gaan biechten.'

'Heb je het niet aan de Heere God verteld?'

'Nee, dat zou die priester wel doen, daar is hij voor.'

'Je weet wel beter, Theo.'

'Ja, nu wel. Ik denk dat de meeste rooms-katholieken er nu ook anders over denken.'

'Toch heb je behoefte om over je leven te praten?'

'Ja, er zijn nog zoveel dingen die me aanklagen.'

'Kun je er niet met mij over praten?'

'We hebben al vaak over veel dingen gesproken, maar de diepste roerselen in mijn ziel benauwen me vaak. Vooral in de nacht, als de slaap niet wil komen, en als ik aan de dood denk.

Ik wist niet dat er in mij iets niet goed was, ik bedoel dat het erger zou worden. Die bestralingen en medicijnen helpen ook niet. Je hoopt dat het tot stilstand komt, maar helaas ik moet er aan.'

'Zo mag je dat niet zeggen. Ze gaan je verder onderzoeken en wie weet valt het mee en kunnen ze er nog iets aan doen. Ik heb een oom gehad die ook zo'n boodschap mee naar huis kreeg. Hij had prostaatkanker in de ergste vorm. Hij werd geopereerd, maar had toch uitzaaiingen. Hij is er oud mee geworden,' legt Mirjam uit.

'Dan hebben ze op tijd alles bij hem weggehaald en zijn die uitzaaiingen tot stilstand gekomen door die bestralingen,' zegt Theo.

'Toch moet je niet in de put gaan zitten, Theo. Zul je alles met mij bespreken en niet alles alleen verwerken? Je bent een binnenvetter. Je moet er meer met mij over praten. Ben ik daarvoor niet de eerste na de Heere God?'

'Het is zo moeilijk om het te aanvaarden, je over te geven en er met iemand over te praten en zeker met anderen.'

'Dat hoeft ook niet. Je hebt een vrouw en wij moeten alles samen dragen, Theo.'

12

In de maanden die volgen gaat Theo steeds verder achteruit. Hij gaat nog maar halve dagen naar zijn werk. De meeste taken laat hij over aan Mirjam en Ronny Terfont. Hij gaat ook niet meer op zakenreis. Ronny en nog een paar andere medewerkers doen dit nu, omdat ze inmiddels weten wat er aan de hand is. Theo heeft zijn naaste medewerkers enigszins geïnformeerd.

Het is de laatste tijd erg druk op het kantoor. Er zijn veel aanbiedingen om bedrijven op te kopen en door te verkopen en dan moet je als goed zakenman geen fouten maken. Mirjam moet dan ook vaak haar man om advies vragen. Hij werkt alleen 's middags op kantoor.

Als Mirjam op een middag naar een vergadering over een nieuw project is en aan het einde van de middag terugkomt op kantoor, schrikt ze vreselijk, als ze Theo in elkaar gezakt achter zijn bureau ziet zitten. Ze rent naar hem toe.

'Theo, wat is er...?'

Hij kijkt haar aan en schudt zijn hoofd.

'Het gaat niet meer, Mirjam.'

Er staan tranen in zijn ogen.

'Wat is er dan, lieverd?'

Hij laat zijn hoofd zakken en probeert op te staan, maar het lukt hem niet.

'Heb je pijn?'

Theo geeft geen antwoord.

Ze haalt snel Ronny Terfont erbij.

'Hij is niet goed geworden en kan niet uit zijn stoel komen.'

'Zal ik u even helpen, meneer?' vraagt Ronny.

Theo schudt zijn hoofd en probeert het opnieuw, terwijl hij zich vasthoudt aan de rand van het bureau, maar als hij wil gaan lopen valt hij op de grond.

Ronny is een stevige kerel, hij helpt Theo voorzichtig overeind en zet hem terug in zijn bureaustoel.

'Heb jij je pijn gedaan?' vraagt Mirjam angstig.

'Mijn benen, ze willen niet meer.'

Mirjam belt hun huisarts en vertelt wat er is gebeurd. Binnen een kwartier is de arts bij hen op kantoor.

'Zo, meneer Verschoot, wil het niet meer?'

Theo schudt zijn hoofd.

De arts onderzoekt hem en schudt zijn hoofd. Dan schrikken ze erg als er bloed uit zijn mond loopt. De arts pakt de telefoon op het bureau en belt: 112. Even later wordt Theo met een ambulance naar het ziekenhuis vervoerd. Mirjam gaat met de ambulance mee. Ze zegt nog snel tegen Ronny dat ze wel contact met hem zal opnemen.

Als ze in het ziekenhuis op de eerste hulppost komen, ziet de arts al snel dat het niet goed is met Theo. Er worden foto's gemaakt en hij komt in een kamer apart aan een infuus te liggen.

Mirjam mag er niet bij zijn als ze met Theo bezig zijn.

De arts neemt haar even apart in zijn kamertje. 'Het ziet er niet goed uit met uw man, mevrouw Verschoot.'

'Wat is er met hem gebeurd?'

'U weet dat hij een gezwel heeft en dat zijn longen ook zijn aangetast?'

'Ja, maar waar komt dat bloed vandaan en hoe komt het dat hij niet meer op zijn benen kan staan?'

'Er is dicht bij zijn longen een bloeding ontstaan en hij is van onder gedeeltelijk verlamd, mogelijk door een slechte doorbloeding van de spieren,' legt de arts uit.

'Komt dat door zijn ziekte?'

'Ja. We houden uw man voorlopig hier. U mag hem opzoeken wanneer u maar wilt. U moet niet te veel verwachting meer hebben van de toestand van uw man.'

'Kan hij dan nooit meer lopen?'

'Daar moet u zeker rekening mee houden. Zijn longen zijn aangetast, dat wist u al, maar nu raakt zijn onderlichaam verlamd. We kunnen met medicijnen nog veel doen, maar u moet er niet op rekenen dat uw man weer normaal gaat lopen.'

'Kan hij dan niet geopereerd worden?'

'Nee, mevrouw. Helaas is dat uitgesloten.'

'Maar ik...' dan laat Mirjam haar tranen gaan.

'Ik zal een kopje koffie voor u halen.'

Even later komt de arts met koffie. Mirjam pakt het kopje met bibberende hand aan en neemt een paar slokken.

'Heeft u kinderen?'

'Nee...'

'Familie?'

'Alleen mijn ouders...'

'U kunt beter iemand bellen die u ophaalt zodat u niet zo alleen bent. U kunt zo niet naar uw man gaan. U heeft ook hulp nodig,' zegt de arts die ziet dat Mirjam behoorlijk overstuur is.

'Ik zal mijn vader bellen.'

De arts geeft haar de telefoon, want met een mobiel toestel mag je niet bellen in een ziekenhuis.

'Ja, met mij. Theo is opgenomen. Hij is niet goed geworden... Ja, hij ligt in het ziekenhuis... Ja, ik ben hier ook... Ja, dat is goed.'

Ze legt de hoorn terug op het toestel.

'Komt je moeder?'

'Nee, mijn vader komt.'

'U mag wel even naar uw man.'

'Ja, laat ik dat maar doen.'

Mirjam veegt haar tranen weg en loopt samen met de arts naar de kamer waar Theo ligt. Hij ligt aan een infuus en krijgt zuurstof. Het infuus is voor de medicijnen die hij toegediend krijgt. Hij heeft zijn ogen dicht. Mirjam gaat naast hem zitten en houdt zijn hand vast. Zijn ogen gaan open.

'Mirjam... Mirjam...?'

'Theo, hoe gaat het? Heb je pijn?'

'Nee...' antwoordt hij zacht.

'Het komt wel weer goed, Theo...'

'Nee, lieverd.'

Dan laat Mirjam zich opnieuw gaan. Ze drukt zijn hand op haar gezicht en snikt: 'Nee, Theo...! Je mag niet... Theo, ik kan je niet missen...'

Dan komt er een verpleegkundige die Mirjam meeneemt en voorzichtig zegt: 'U kunt beter eerst wat tot rust komen. Uw man is nu erg moe en we moeten voorzichtig met hem zijn.'

Mirjam knikt en gaat met de verpleegkundige mee naar een kamertje. Ze krijgt wat te drinken.

'Heeft u al familie gebeld?'

'Ja, mijn vader komt zo.'

'Heeft u kinderen?'

'Nee.'

'Heeft uw man familie?'

'Nee.'

'Ik vraag dat aan u omdat wij ook niet weten hoe het verder met uw man zal gaan. U kunt vannacht beter hier slapen.'

'Kan hij dan niet naar huis als het wat beter gaat?'

'Nee, mevrouw, daar is het te ernstig voor. Heeft de arts het u dan niet uitgelegd?'

'Ja, maar... Hij kan toch ook thuis verpleegd worden?' zegt Mirjam vragend.

'Laten we eerst maar afwachten hoe het met uw man gaat. Hij is hier in goede handen, als er iets gebeurt.'

'Ja...' geeft Mirjam toe.

Dan gaat de deur open en is haar vader er.

'Pa... o pa... Theo... het mag niet...'

Karel Trumf neemt zijn dochter in zijn armen en troost haar.

'Rustig, kind. Je moet nu flink zijn. Dat is ook beter voor Theo.'

Als ze nog een kopje koffie hebben gedronken, vraagt Mirjam of ze nog even naar haar man mag.

'Komt u maar, hij is nu aardig rustig.'

Karel wil achterblijven in het kamertje.

'Pa, gaat u mee?'

'Als het mag van de zuster...'

'Jawel, hoor, maar als uw man zich te druk maakt, kunt u beter weer gaan. Gaat het verkeerd, dan drukt u maar op de rode knop boven zijn bed,' legt de verpleegkundige uit.

Als ze in het kamertje komen zien ze Theo aan allerlei slangetjes en apparatuur liggen. Als hij hen ziet komt er zelfs een glimlach op zijn gezicht.

Mirjam geeft hem een kus op zijn wang en haar vader legt voorzichtig een hand op zijn schouder en zegt: 'Wat heb je nou toch gedaan, man?'

'Het is hier goed,' antwoord Theo zacht.

'Heb je pijn?' vraagt Mirjam.

'Het gaat wel...'

'Ik blijf vannacht hier slapen,' zegt Mirjam.

'Dit bed is te smal voor ons beiden,' probeert Theo een grapje te maken.

'Nee, gekkerd, ik mag niet bij je slapen. Ik krijg een kamer in het ziekenhuis en als er wat is, dan ben ik zo bij je.'

'Dat hoeft niet. Weet Ronny Terfont dat ik hier lig?'

'Natuurlijk. Hij was erbij toen het op kantoor gebeurde. Weet je dat niet meer?'

'Ach ja, dat is waar ook, maar verder weet ik er niet veel meer van.'

'Je moet nu niet meer piekeren, dat doen wij wel voor je.

Oké?' zegt Mirjam die blij is dat Theo er al iets beter uitziet.
Dan komt de arts binnen en vraagt: 'Hoe is het nu? Ik kom even bij u kijken.'
'Het gaat wel, ik heb alleen geen gevoel in mijn benen.'
'Dat klopt. We gaan u morgenvroeg opereren.'
'O...'
'Kan hij dan toch geholpen worden?' vraagt Mirjam verbaasd.
'We doen wat we kunnen. Als u zo even bij mij komt leg ik het u uit. We hebben de foto's nog eens goed bekeken en daaruit blijkt, dat we toch moeten opereren. Hij is morgen één van de eersten.'
Als de dokter de deur uitgaat zegt hij: 'Komt u zo even bij mij langs? Neem uw vader maar mee, dat lijkt me verstandig.'
'Goed, dokter,' antwoordt Mirjam die het niet helemaal vertrouwt, omdat de arts niet vertelt wat er gaat gebeuren waar Theo zelf bij is. Meestal vertellen ze de patiënt ook wat ze gaan doen.
Mirjam en haar vader nemen afscheid van Theo en gaan eerst naar een verpleegkundige van de afdeling.
'We moeten bij de dokter komen. Kan dat nu?'
'Komt u maar mee. Hij is net terug op zijn kamer.'
Als ze bij de arts zitten, kijkt deze Mirjam aan en zegt: 'U weet dat uw man ernstig ziek is en dat weet uw man zelf ook heel goed.'
Mirjam knikt.
'Wij proberen het leven van uw man zoveel mogelijk aangenaam te maken. Omdat zijn onderlichaam vrijwel helemaal verlamd is, moeten we maatregelen nemen. Hij kan zijn afvalstoffen niet meer op een normale manier afvoeren en dus moeten we een stoma aanbrengen. U vindt het misschien vreemd dat ik het niet heb verteld waar u man bij is. Hij is erg zwak en dat is niet alleen lichamelijk, maar ook geestelijk. Hij

is vaak emotioneel en heeft het steeds over u.'

Mirjam veegt snel een traan weg. Haar vader pakt één van haar handen.

'Als u per se wilt dat ik hem vertel wat er morgen gaat gebeuren, dan kan ik hem alleen over dit punt inlichten. Het kan zijn dat we meer tegenkomen en hij is erg zwak,' legt de arts uit.

'Kan hij daar nog lang mee leven?' vraagt Mirjam.

'Dat kunnen we helaas niet garanderen en daarom praat ik er eerst met u over.'

'Hoe laat wordt hij morgenvroeg geholpen?' vraagt Karel.

'Half negen.'

'Mag ik dan eerst nog bij hem zijn?'

'Dat zou ik zeker doen als ik u was.'

'Kan hij...' snikt Mirjam.

'We doen ons best. Meer kunnen we niet doen. Zo'n hardnekkige kanker met uitzaaiingen is moeilijk te bestrijden. Wat wij tegenkomen moeten we afwachten. Elke operatie is een ingreep in het lichaam van een mens, al is het maar een blindedarm. Wij denken daar echt niet makkelijk over,' zegt de arts ernstig.

De papieren liggen klaar en Mirjam tekent ze. De arts staat op en geeft hen een hand en zegt: 'Ik hoop u morgenvroeg voor de operatie nog te ontmoeten.'

'Goed, dokter, dank u,' zegt Karel. Mirjam kan geen woord uitbrengen.

Een verpleegkundige vangt hen op en brengt hen naar een kamertje waar ook een bed staat.

'Hier kunt u vannacht slapen. U kunt ook in het ziekenhuis wat eten, of gaat u eerst naar huis om wat spullen te halen voor uw man en uzelf?'

'Dat lijkt me wel zo verstandig,' zegt Mirjams vader.

Karel rijdt zijn dochter naar huis. Als ze binnen zijn, dan doet Mirjam wat spullen van haar en Theo in een grote tas, terwijl Karel om zich heen kijkt. Dan zegt hij iets wat Mirjam behoorlijk pijn doet: 'Heb je geen spijt, Mirjam?'

'Wat bedoelt u?'

'Een oudere, maar nu ook zieke man…! Wist je dat hij ziek was toen je met hem trouwde?'

'Ja, hoezo?'

'Waarom heb je er nooit met ons over gesproken?'

'Jullie keurden ons huwelijk toch al af.'

'Ben je niet te veel op zijn rijkdom afgegaan?'

'U weet niet wat u zegt…' snikt Mirjam.

Karel loopt naar zijn dochter en neemt haar in zijn armen.

'Neem me niet kwalijk. Je bent onze dochter, het doet ons pijn je zo verdrietig te zien. Je moet ons ook begrijpen, Mirjam. Wij willen je gelukkig zien. Je hebt een man die ongeneeslijk ziek is en een bedrijf dat op jouw schouders rust. Als ik je kon helpen in dat bedrijf, dan zou ik dat zeker doen, maar zo'n omvangrijk bedrijf met zo veel filialen, daar heb ik geen verstand van, daar moet je in groeien. Hoe moet het verder als Theo er niet meer is?'

'Theo wordt misschien weer beter.'

'Dan kan hij zelf de zaken niet meer doen zoals voorheen. Het zal allemaal op jouw schouders rusten.'

'Ronny Terfont werkt al een tijdje bij ons en hij kan goed opschieten met Theo en mij. Hij is op zakengebied erg kundig.'

'Kun je niet beter die meneer De Korte terughalen?'

'Alleen als Theo dat goed vindt en dan komt hij toch onder Ronny Terfont te staan,' legt Mirjam uit.

'Als Theo over een tijdje het ziekenhuis mag verlaten, hoe regel je dan alles in huis?'

'Wij hebben hier een huishoudster met haar man die alles in huis en buiten samen doen. Zij kan misschien ook voor Karel zorgen, als hij thuis is, en anders blijf ik zelf thuis en laat ik het bedrijf over aan Ronny Terfont en onze medewerkers.'

'Je kunt ook voor dag en nacht verpleging in huis nemen, want geld speelt bij jullie geen rol.'

'Dat zou eventueel ook kunnen, maar laten we eerst de operatie maar afwachten,' antwoordt Mirjam nerveus.

'Zal ik nog meegaan naar het ziekenhuis of ga je alleen met je eigen wagen?'

'Ja, maar mijn auto staat nog bij ons kantoor. Als u mij daar afzet, ga ik naar kantoor om Ronny in te lichten over Theo en te vertellen dat ik vannacht zelf ook in het ziekenhuis slaap.'

'Dat lijkt me verstandig,' antwoordt Karel.

Karel zet zijn dochter af bij het grote kantoorcomplex.

Mirjam loopt snel naar binnen. Ronny is tot haar verbazing in het kantoor van Theo en haar.

'O, zit jij hier?'

'Ja, neem me niet kwalijk, ik zocht wat opdrachten en dacht dat die hier zouden liggen.'

'Oké, ik ga terug naar het ziekenhuis en blijf er vannacht slapen.'

'Hoe gaat het met uw man?'

'Hij wordt morgenvroeg geopereerd.'

'O. Is het een zware operatie?'

'Dat moeten we nog afwachten. Ik praat er liever niet over,' antwoordt Mirjam emotioneel.

'Zal ik u naar het ziekenhuis rijden?'

'Nee, ik red het wel.'

'Als u me nodig hebt, dan moet u dat echt laten weten.'

'Dank je. Ik hoop dat je het werk aankunt, anders schakel je meneer De Korte maar in.'

'Maak je geen zorgen over het werk. Vertrouw maar op mij,'

zegt Ronny, terwijl hij voorzichtig Mirjam bij haar schouder vasthoudt.

Mirjam loopt snel het kantoor uit, stapt in haar auto en rijdt naar het ziekenhuis.

13

Theo is alweer een paar weken uit het ziekenhuis. Hij heeft er na de operatie drie weken gelegen. Hij is nog steeds aan bed gebonden. Zijn onderlichaam is verlamd. Hij heeft dan ook dag en nacht verpleging genomen. Een verpleegkundige slaapt in een van de logeerkamers.

Mirjam gaat gewoon naar kantoor en heeft de leiding van het bedrijf overgenomen. Ze heeft Ben de Korte, die overgeplaatst was naar één van hun nevenbedrijven, terug laten komen op het hoofdkantoor. Ronny Terfont is daar niet blij mee en dat laat hij ook duidelijk merken.

Mirjam zit achter het grote bureau van haar man en is bezig met het lezen van een stuk van de notaris. Het gaat over de verkoop van een groot winkelpand dat ze liever kwijt zijn dan rijk. Het is tijdelijk verhuurd en nu wil de huurder het pand zelf kopen. Ze leest de stukken door en ziet al snel dat er iets niet klopt met de verkoopprijs. De prijs was hoger en is nu zeker tien procent lager dan zij was overeengekomen. Wie heeft deze zaak verder behandeld?

Ze belt intern naar het kantoor van Ben de Korte.

'Wilt u even bij mij op kantoor komen?'

Even later zit Ben de Korte bij Mirjam op kantoor.

'Weet u iets van deze zaak?' vraagt Mirjam terwijl ze hem de stukken laat zien.

Hij leest ze snel door.

'Nee, het spijt mij, dit heb ik niet behandeld Ik denk dat Ronny Terfont hier meer van weet.'

'Maar u weet toch wel welke prijs we hebben afgesproken?'

'Dat wel ja.'

'Waarom is die prijs dan minstens tien procent gezakt?'

'Daar weet Ronny misschien meer van,' antwoordt Ben de Korte met een gemeen lachje.

‘Gaat u maar. Ik regel het wel verder met Ronny Terfont.’
‘Goed, mevrouw.’
Als Ben de Korte weg is en ze de stukken nog eens goed doorleest en ook het contract, ziet ze al snel dat ze dat pand beter kan verhuren voor die prijs dan verkopen. Hier klopt iets niet. Ze belt intern het kantoor van Ronny Terfont.
‘Heb je even tijd, Ronny?’
‘Ja, mevrouw, ik kom eraan.’
Als hij bij Mirjam op kantoor zit vraagt hij: ‘Moeilijkheden?’
‘Waarom vraag je dat?’
‘Ik zag Ben de Korte met de bekende glimlach op zijn gezicht.’
‘Kun je niet met hem opschieten?’ vraagt Mirjam kort.
‘Ach, hij is een oude man met te veel oude ideeën.’
‘Hij was vroeger de rechterhand van mijn man.’
‘Dat zegt mij niks. Jullie hebben hem niet voor niks overgeplaatst,’ antwoordt Ronny licht sarcastisch.
Mirjam heeft moeite met deze jongeman met zijn blonde haar en lichtblauwe ogen die haar vaak wat vreemd aankijken. Ze slaat dan haar ogen neer en voelt zich niet op haar gemak. Nu kijkt ze hem recht aan, geeft hem de stukken en vraagt: ‘Is dit jouw werk?’
Ronny leest het snel door en kijkt Mirjam brutaal aan.
‘Ja, hoezo?’
‘Die prijs was niet afgesproken.’
‘Dat klopt. Die prijs heeft Ben de Korte te hoog ingeschat voor dat winkelpand. Die mensen wilden eigenlijk niet kopen maar nu heb ik het pand voor deze prijs verkocht. We mogen blij zijn dat we het kwijt zijn.’
‘Volgens mij hadden we het dan beter kunnen verhuren.’
‘U weet niet dat het al een tijd heeft leeggestaan en dat de vorige huurder nog een schuld heeft. Ik heb ze zover gekregen dat ze het kopen. Ze zijn er voor deze prijs ingetrapt en zijn er

opnieuw een zaak begonnen. Ik heb ze daarbij geholpen, anders was het mooi fout gegaan.'

'Waarom praat je er niet eerst met mij over of met Ben de Korte?'

'Wie is hier eigenlijk de baas?'

'Je wordt nu wel erg persoonlijk,' antwoordt Mirjam, die deze jongeman liever op een afstand probeert te houden. Hij heeft iets waar ze bang voor is.

'Het is verkocht en we hebben er nog een goede winst op gemaakt. Anders was het leeg blijven staan en leegstand brengt niks op,' zegt Ronny met een glimlach terwijl hij Mirjam aankijkt.

'Goed, je zult wel gelijk hebben. Praat er in het vervolg eerst met mij over of met Ben de Korte en beslis zoiets niet meer alleen.'

'Nogmaals, ik heb niks met Ben te maken. Ik ben gewend onder mijn werkgever te werken en niet onder een collega.'

'Het is toch normaal dat je eerst zulke dingen bespreekt, als je de prijs zover laat zakken?'

'Met u wil ik over zulke zaken in het vervolg graag praten, maar u geeft alles door aan Ben de Korte en als er problemen zijn, worden jullie ineens wakker.'

'Je gaat nu wel te ver,' antwoordt Mirjam met een rood hoofd.

'Zo bedoel ik het nu ook weer niet. Volgens mij kunt u het niet aan en heeft u meer vertrouwen in Ben de Korte, terwijl u er vroeger mee op de koffie bent gekomen en hij u en uw man heeft beledigd.'

'Wat bedoel je daarmee?'

Ronny lacht en ziet dat Mirjam weer een rood hoofd krijgt. Die ogen en dat knappe gezicht... Ze kan niet tegen hem op. Hij heeft iets waarbij ze zich als vrouw de minste voelt en het lijkt alsof deze jongeman het aanvoelt.

'Hoe gaat het met uw man?' vraagt Ronny dan.
'Het blijft zo'n beetje hetzelfde.'
'Zal ik hem vanavond eens opzoeken?'
'Nee, hij wil liever geen bezoek,' antwoordt Mirjam snel.
'Komt hij nooit meer terug op de zaak, denkt u?'
'Nee...' antwoordt Mirjam wat verlegen.
'Kan ik u ergens mee helpen?'
'Waarom?' vraagt Mirjam die het moeilijk heeft.
'Het lijkt me erg moeilijk voor u.'
'Je hoeft over mij niet in te zitten.'
'Toch wel,' antwoordt Ronny terwijl hij Mirjam ernstig aankijkt. 'U heeft het moeilijk en kunt er met niemand over praten. Heb ik het goed?'
Mirjam laat haar hoofd zakken. Er lopen een paar tranen over haar wangen en ze zegt met een zachte stem: 'Je kunt gaan.'
'Nee, u moet niet alles alleen verwerken.'
Mirjam veegt snel haar tranen weg, kijkt Ronny aan en vraagt: 'Waarom maak jij je druk om mij?'
'Dat weet u heel goed...'
'Nee, ik weet niet waar je heen wil.'
'Mirjam, ik weet wat je doormaakt.'
'Mirjam...? Ik ben hier voor jou geen Mirjam!'
'U heeft gelijk. Neem me niet kwalijk, het viel zomaar uit mijn mond.'
'Wat wil je van me?'
'Wij zitten hier als werkgever en werknemer tegenover elkaar. Ik wil onder vier ogen met u praten en niet hier op kantoor waar we van rang verschillen.'
'Je gaat wel heel ver.'
'Heeft u zin om met mij ergens in de stad een kopje koffie te gaan drinken? U doet er mij een groot plezier mee,' zegt Ronny dan ernstig.
'Nou ja...'

'Echt, het is goed voor u om te praten. We moeten elkaar beter leren kennen.'

'Als je dat per se wilt...'

'Dat zal ik erg op prijs stellen, mevrouw Verschoot.'

'Goed, ik zal even doorgeven dat we voor zaken weg moeten,' antwoordt Mirjam dan zakelijk.

Mirjam stapt in de auto van Ronny en zonder wat te zeggen rijden ze het parkeerterrein af. Ronny rijdt de stad uit.

'Je had het over koffie drinken in de stad.'

'Ik weet een beter plaatsje.'

'Je gaat me toch niet ontvoeren?' grapt Mirjam.

'Dat zou geen gek idee zijn. Zouden ze veel losgeld voor u betalen?'

'Het ligt er aan wat je vraagt.'

'Onbetaalbaar, het kost hem alles,' antwoordt Ronny.

'Dat is dan niet zo mooi...'

'Ik weet het niet.'

Ze rijden door de duinen in de richting van de zee.

'We gaan toch niet zwemmen?' vraagt Mirjam.

'Nee, daar is het nu te koud voor.'

Ze stoppen op een parkeerplaatsje in de duinen.

'Kun je hier koffie drinken?'

'Hier niet, maar verderop wel,' antwoordt Ronny terwijl hij de auto afsluit.

Ze wandelen naast elkaar door de duinen naar de zee. De frisse wind waait door het lange, donkere haar van Mirjam.

'Vind je het niet heerlijk om even uit dat muffe kantoor weg te zijn en die heerlijke zeewind op te snuiven?'

'Je had zeeman moeten worden in plaats van zakenman,' lacht Mirjam.

Ze lopen langs de zee. Mirjam kijkt Ronny van opzij aan en ziet zijn bruine gezicht met de blonde haren en als hij haar dan aankijkt met zijn lichtblauwe ogen wordt ze vanbinnen warm, terwijl de zeewind fris is.

Ronny blijft plotseling stilstaan en kijkt haar aan. Mirjam kijkt snel voor zich en wil doorlopen.

'We zouden ergens koffie gaan drinken en nu heb je me hierheen gebracht...'

'Je had het kunnen weigeren.'

'De zeewind is wel lekker, moet ik eerlijk zeggen...'

'Mirjam, houd je wel echt van je man?' vraagt Ronny dan onverwacht.

'Waar wil je heen?'

'Dat besef je heel goed, Mirjam.'

'Nee, laten we teruggaan.'

'Nee, we gaan daar eerst koffie drinken.'

Ze lopen naar een strandrestaurant waar ze een kopje koffie bestellen.

'Ik weet veel van je, Mirjam. Ook al toen je op kantoor werkte als kantoormeisje en later met je huidige man ging.'

'Is daar iets mis mee?'

'Nee, dat niet, maar Ben de Korte heeft me verteld dat je ouders ertegen waren.'

'Heeft hij je dat allemaal verteld?'

'Ach, je weet hoe De Korte is. Jullie hebben hem toen naar een ander kantoor overgeplaatst en later weer terug laten komen.'

'Dat wilde mijn man. Hij weet veel van ons bedrijf.'

'Dus je man vertrouwt het mij met jou samen niet toe?'

'Nee, net wat ik al zei. Ben de Korte heeft veel ervaring in ons bedrijf.'

'Hij is erg ouderwets. Jouw man wist de zaken beter aan te pakken en dat missen jullie alle twee,' zegt Ronny zakelijk.

'Dus je vindt dat ik het ook niet goed doe?'

'Soms worden er fouten gemaakt en die kun je meestal niet

meer terugdraaien. Jullie bedrijf is groot, heeft meerdere kantoren waar mensen leiding geven en soms dingen doen die ze vroeger niet durfden, toen je man de touwtjes nog stevig in handen had. De Korte is er ook zo één. Als ik dat zaakje niet had opgelost, waarover je het met me hebt gehad, dan waren we met een waardeloos pand blijven zitten, dat je nooit meer zou kunnen verkopen.'

'Toch lag de prijs erg laag. Volgens Ben de Korte hebben we er weinig aan verdiend.'

'Soms kun je beter verkopen voor minder dan dat je er mee blijft zitten en het nog meer geld gaat kosten. Je moet verder kijken en ook de zakenwereld in de gaten houden. Je man had dat goed in zijn vingers en ging er meestal zelf op af.'

'Daar hebben we jou en De Korte voor in dienst genomen,' zegt Mirjam kort.

'Ach, die De Korte probeert zichzelf te redden door dingen te kopen en gelijk weer door te verkopen. Neem nou dat kantoorpand van die verzekering. Hij kocht het op en verkocht het met nog geen vijf procent winst door. Hij had het een paar jaar moeten verhuren, dan waren er liefhebbers genoeg gekomen. Hij verkoopt meer dan dat hij koopt.'

'Het spijt me, Ronny, ik kan dat niet allemaal in de gaten houden,' zegt Mirjam eerlijk.

'Daarom wilde ik rustig met je praten. Die De Korte heeft overal luistervinken en is erg wantrouwend tegenover mij.'

'Dus de jaloersheid steekt de kop weer op bij hem?'

'Zo zou je het kunnen zeggen.'

'Ik zal het met mijn man bespreken.'

'Kan ik niet eens met je man praten?'

'Nee, liever niet. Hij is te zwak om zich met zaken bezig te houden,' antwoordt Mirjam.

'Toch moet er wat gebeuren. Jij bent nu eindverantwoordelijk.'

Ze bestellen nog een kopje koffie. Mirjams gedachten gaan snel. Ze weet dat deze knappe jongeman haar niet heeft meegenomen om over zaken te praten. Ze heeft het gemerkt toen ze langs het strand liepen en hij vroeg of ze wel van haar man houdt. Als ze vroeger Theo niet had ontmoet en deze man was tegengekomen op haar levenspad... Zou ze dan verliefd op hem zijn geworden? Zelfs al had ze Theo op de zaak gekend, dan was Ronny het geworden, moet zij zichzelf bekennen. Ze is zijn directeur en hij is haar ondergeschikte en toch zitten ze hier als twee jonge mensen die wel over zaken praten, maar vanbinnen met andere gedachten bezig zijn. Zou het bij hem wel echt zijn...? Alleen al de manier waarop hij haar naam noemt en die ogen en dat aantrekkelijke gezicht... Ja, alles aan hem is...

'Je koffie wordt koud, Mirjam.'

'O ja. Heb je ineens haast?'

'Dat maakt mijn baas uit,' lacht Ronny.

'Dan zouden we nu gewoon tegenover elkaar in het kantoor zitten. Je bent zelf over de zaak begonnen,' antwoordt Mirjam.

'Ach, als ik aan Ben de Korte denk en zijn geklets, dan is bij mij vaak de lol van het werk eraf.'

'Meen je dat echt?'

'Ik ben voor hem in de plaats gekomen. Toen je man ziek is geworden, hebben jullie De Korte terug laten komen. Hij denkt dat hij de baas over me is en doet zaken waar ik me aan erger.'

'Waarom ben je er niet eerder mee bij mij gekomen?'

'Ik weet dat je het al moeilijk genoeg hebt met je man. Het lijkt alsof ik jaloers ben op De Korte en die indruk wil ik je niet geven,' zegt Ronny eerlijk.

'Het lijkt me eerder andersom. De Korte is een gevaarlijk man. Als hij iemand op de korrel heeft door zijn jaloersheid, dan gaat het fout.'

'Daar kun jij over meepraten.'
'Heeft hij echt alles over ons verteld?'
'Jij hebt Theo verleid...'
'Heeft hij dat echt gezegd?'
'Ja, hoe moet ik het anders weten?'
'Hoe durft hij dat nog te beweren?'
'Je hoort het.'
'Nu gaat hij er helemaal uit,' zegt Mirjam met een rood hoofd.
Ronny legt zijn hand op de hare en zegt: 'Je moet het je niet zo aantrekken. Ik geloof hem echt niet. Het is heel normaal dat Theo verliefd op je is geworden. Je bent erg aantrekkelijk, weet je dat?'
Mirjam trekt snel haar hand terug, staat op en zegt: 'Laten we gaan.'
'Goed. Heb ik te veel gezegd, Mirjam?'
Ze geeft geen antwoord en loopt naar buiten terwijl Ronny snel afrekent. Via het strand lopen ze terug naar de auto.
Als ze dichtbij de auto zijn, zegt Ronny: 'Mirjam, ik weet dat je getrouwd bent. Toch geef ik veel om je.'
Mirjam loopt snel naar de auto en stapt in.
'Zal ik je naar huis brengen? Dan kan ik gelijk met je man praten.'
'Nee, we gaan terug naar kantoor. Voorlopig wil ik niemand van de zaak bij mijn man hebben. Hij maakt zich er al druk genoeg over.'
'Toch is het normaal dat hij ziekenbezoek krijgt van de zaak. Jij wilt dat allemaal tegenhouden, maar dat is niet goed, Mirjam.'
'Dat maak ik zelf wel uit,' antwoordt Mirjam kort.
Als ze terug zijn en Mirjam alleen in haar kantoor zit, houdt ze haar hoofd tussen haar handen en laat zich gaan. Ze weet dat ze dit niet aan kan. Ben de Korte moet hier weer weg... of

misschien kan ze beter Ronny ontslaan, dan is ze overal van af. Ze weet dat het zo niet goed gaat. Ze kan Ronny naar een van de firma's sturen die ook bij hun bedrijf horen. Ze moet zichzelf bekennen dat ze niet opgewassen is tegen zijn en haar gevoelens. Hij kan hier niet langer blijven. Het is niet eerlijk tegenover Theo. Die heeft het juist nu zo moeilijk. Hij heeft haar juist nu zo nodig... Ze is te veel met zichzelf bezig.

14

Mirjam rijdt diezelfde avond de garage in. Ze kan vanuit de garage zo het huis in lopen. Ze gaat meteen de kamer in waar Theo op bed ligt.

Hij begroet haar meestal met een glimlach op zijn gezicht. Nu kijkt hij haar wel vriendelijk aan, maar het is niet echt. Mirjam die erg gevoelig is op dit gebied, vraagt dan ook gelijk of hij zich wel goed voelt.

'Het gaat wel, maar de dagen zijn zo lang,' antwoordt hij met een gebroken stem.

'Je moet eerst nog wat aansterken en dan mag je in een rolstoel en kun je wat naar buiten.'

'Dat is te hopen.'

'Wilt u nu eten of wilt u nog even wachten?' vraagt de verpleegkundige die nu helemaal voor Theo zorgt en samen met Marie alles in huis regelt.

'U kunt de tafel wel dekken. Ik zorg zelf voor mijn man.'

'Goed, mevrouw.'

Als alles op tafel staat, schept ze op voor Theo en zet het op een soort tafeltje dat net als in een ziekenhuis vast zit aan het nachtkastje en dat hij zo naar zich toe kan draaien.

Mirjam gaat zelf aan tafel zitten. Ze eten zonder een woord met elkaar te wisselen.

Als Mirjam naar Theo kijkt ziet ze dat hij zijn eten nog niet heeft aangeroerd.

'Heb je geen honger, Theo?'

'Waarom zou ik...?'

Mirjam loopt naar zijn bed en vraagt: 'Is er iets, Theo? Is er vandaag iets gebeurd?'

'Wat moet er gebeurd zijn?'

'Heb je nog wat gewerkt op je laptop? Je wilde toch zelf die verslagen maken over dat bedrijf?'

'Waarom zou ik verslagen maken over zaken die jullie geregeld hebben?'

'Je wilt toch op de hoogte blijven van alles?'

'Nee, het hoeft voor mij niet meer,' antwoordt Theo vermoeid.

'Zal ik wat anders voor je klaarmaken? Zeg maar waar je zin in hebt.'

'Zet dat eten maar weg en pak maar een glas wijn.'

'Je mag geen drank hebben vanwege je medicijnen. Dat kan gevaarlijk zijn.'

'Ach, klets niet.'

Mirjam merkt dat er iets gebeurd moet zijn dat Theo zich heeft aangetrokken.

Ze gaat naast hem zitten en kijkt hem aan, terwijl ze zijn hand vasthoudt.

'Theo, we hebben toch geen geheimen voor elkaar?'

'Nee, ik niet,' antwoordt Theo kort.

'Wat is er toch met je?'

Dan ziet ze dat Theo natte ogen heeft.

'Heb je het moeilijk? Pieker je ergens over? Ik zal morgen de dokter vragen of je al in een rolstoel mag, dan kun je naar buiten en ga ik met je wandelen door het bos.'

'Wat maakt het uit?'

'Je moet niet zo onverschillig doen.'

Theo kijkt naar haar en zegt: 'Je weet dat ik niet lang meer te leven heb. Je kunt me beter die fles wijn geven en me nog wat laten genieten.'

'Goed, ik zal een glas voor je inschenken.'

Mirjam loopt naar het wijnrek en schenkt twee glazen wijn in. Ze geeft Theo een glas. Hij proeft voorzichtig en neemt dan een paar flinke slokken.

'Rustig aan, Theo.'

Hij kijkt haar dan vragend aan.

‘Wat is er, Theo?’
‘Waar ben je vandaag geweest?’
‘Op de zaak. Dat weet je toch?’
‘Moest je vanmiddag niet weg voor de zaak?’
‘Nee, hoezo?’
‘Ik heb naar je kantoor gebeld. Je was voor zaken weg met Ronny Terfont,’ zegt Theo terwijl hij haar blijft aankijken.
‘Ja, dat klopt. Hebben ze dat doorgegeven?’
‘Nee, ik heb ziekenbezoek gehad.’
‘De dominee?’
‘Wat moet ik met de dominee?’
‘Die zou toch ook komen? Daar heeft hij gisteren over gebeld. Is hij geweest?’
‘Nee, ik heb hem afgebeld.’
‘Waarom, Theo? Het is goed om met hem te praten.’
‘Het lijkt me verstandig dat jij eens met hem praat.’
‘Dat wil ik wel voor je doen of wil je liever dat ik er bij ben, als hij je opzoekt?’
‘Ach, laat maar. Jij met je dominee en je geloof,’ antwoordt Theo onverschillig.
‘Wie heeft jou vanmiddag bezocht?’
‘Ben de Korte,’ antwoordt Theo kort.
‘O. Ik heb nog zo gezegd dat ze je voorlopig van de zaak niet lastig moeten vallen.’
‘Waarom niet?’ vraagt Theo wat fel.
‘De dokter wil dat je de eerste weken rustig aan doet. Het werk gaat toch wel door. Wij proberen ons best te doen en de zaak loopt goed, dat weet je heel goed. Ik breng je elke avond verslag uit hoe het gegaan is op de zaak en je verwerkt alles op je laptop. Wat is er toch met je aan de hand en waarom moest Ben de Korte je zo maar ineens bezoeken zonder er met mij over te praten?’
Mirjam krijgt een angstig vermoeden.

Theo sluit zijn ogen. Mirjam pakt hem bij zijn arm en smeekt: 'Theo, wat is er? Vertel het mij. Heeft Ben de Korte weer iets uitgehaald dat ik niet mag weten?' Theo opent zijn ogen en kijkt haar aan met tranen in zijn ogen.

'Je weet heel goed wat Ben de Korte hier kwam doen.'

'Nee, zegt het dan.'

'Je bent met die Ronny Terfont zogenaamd voor zaken weggeweest.'

'Ja, en niet zogenaamd,' liegt Mirjam.

'Is zaken doen ook langs het strand lopen en door de duinen wandelen en op een terrasje daar koffie drinken!' vraagt Theo kwaad.

Mirjam slaat haar ogen neer en gaat staan en antwoordt met een zachte stem: 'Dus daarom moest Ben de Korte weer terugkomen op ons kantoor. Hij moet mij bespioneren...'

'Dat niet per se, ik heb hem daar geen opdracht voor gegeven. Hij heeft het uit zichzelf gedaan.'

'Theo, je weet dat ik van je houd. Waarom denk je zo laag over me en geloof je De Korte? Je weet toch dat die man niet deugt? Die man probeert op deze manier de baas te worden op kantoor. Hij wil Ronny Terfont wegwerken en dit kwam hem goed uit.'

'Waarom heb je dat gedaan?'

'Het ging echt over een zaak. Een waardevol bedrijf dat voor een te lage prijs verkocht is en daarvoor heb ik Ronny Terfont op mijn kantoor geroepen. Hij vroeg me naar jou, nou ja, ik had het moeilijk...'

'Toen ben je met hem in de duinen en langs het strand gaan wandelen, terwijl je man langzaam dood ligt te gaan,' valt Theo uit.

'Goed... Ja, je hebt gelijk,' geeft Mirjam dan toe.

'Houd je van hem?'

'Hoe kom je op het idee?'

'Je bent met een oude, zieke man getrouwd en je werkt de hele dag samen met een jonge, knappe vent en je dacht: Waarom zou ik niet...?' schreeuwt Theo, terwijl hij snel een traan wegveegt.

'Nee, Theo. Je moet begrijpen dat ik het ook moeilijk heb.'

Ze pakt hem bij zijn arm en gaat op de rand van zijn bed zitten.

'Theo, je moet me geloven. Ik heb echt geen behoefte aan een andere man of zo. Ik houd echt van je. Geloof me, Theo...' smeekt Mirjam.

Dan gaat Theo achterover liggen en krijgt een huilbui. Er lopen dikke tranen over zijn wangen.

Mirjam drukt haar gezicht tegen zijn borst en snikt: 'Echt, Theo, ik houd alleen van jou... Er is niks tussen Ronny en mij... Geloof me nu, lieverd. Jij alleen bent mijn liefste, ik houd alleen van jou. Je moet me vertrouwen. Het komt omdat je de hele dag hier in bed ligt te piekeren.'

Dan gaat Theo zijn hand voorzichtig door Mirjams lange, donkere haar en fluistert hij: 'Het is goed, Mirjam, ik begrijp je en ben te veel met mezelf bezig. Het is voor jou ook moeilijk om het te aanvaarden. Het is goed.'

Mirjam richt haar hoofd op en zoent hem.

'Theo, ik ga niet meer naar de zaak. Ik blijf thuis bij jou. Ik mag je dit niet aandoen.'

'Nee, Mirjam, dat kan niet. Jij bent de enige die alles in de gaten kan houden. Je kunt niet de hele dag bij mij gaan zitten. Je bent nog jong en ik wil niet dat je net als ik de hele dag aan huis gebonden bent. Ik ben ziek, dat is heel wat anders.'

'Jij bent mijn man, ik mag je niet zo alleen laten. Morgen vraag ik aan de arts of je in een rolstoel mag en dan gaan we samen wandelen... Je moet er nodig uit.'

'Het zal toch een einde hebben en we zullen dat beiden moeten aanvaarden. Ik had jou je jeugd niet moeten afnemen… Ik heb te veel aan mezelf gedacht. Als ik nog een paar jaar te leven heb, dan is dat niet eerlijk tegenover jou. Je had een man van je leeftijd moeten nemen en kinderen krijgen.'

'Praat niet zo dom, Theo, ik heb voor jou gekozen. Nu praat je zo en als De Korte je opzoekt en je vertelt dat ik met Ronny langs het strand en in de duinen heb gewandeld, ben je overstuur.'

'Nee, dat is het niet…'

'Wat dan?'

'Soms ben ik bang dat je toch met mij getrouwd bent om… nou ja…'

'Zeg op.'

'Vanwege mijn geld en aanzien!'

'Dat méén je niet, Theo!'

'Ach, laat maar…'

'Je bent zwak en hebt de hele dag tijd om te piekeren en dan ga je van alles in je hoofd halen. Morgen blijf ik thuis. We werken hier thuis samen voor de zaak en laten Ben de Korte en Ronny Terfont alles op de zaak regelen,' zegt Mirjam beslist.

'Nee, dat hoeft niet.'

'Dus je denkt dat ik met je getrouwd ben om je geld?'

'Soms ben ik er bang voor. Je bent jong en knap en kunt makkelijk een jongere man krijgen zoals Ronny Terfont. Dan kun je gelukkig zijn.'

'Nee, Theo, zo werkt dat niet. Je vergeet dat liefde anders werkt. Liefde… en dan bedoel ik echte liefde, die denkt niet aan rijkdom of leeftijd. Lees in de Bijbel maar eens hoe vrouwen verliefd worden op oude mannen en ook op koningen. Dat waren vaak vrouwen die met hun man de Heere God dienden en dat mankeert er bij ons vaak aan. Wij zijn te druk met de aardse goederen. Jij bent ernstig ziek, Theo, en waar zoek jij je troost?'

‘Zolang ik jou nog heb... Verder is er niks meer voor mij... O, Mirjam, als je me ontrouw bent of in de steek laat...’ snikt Theo dan.

Mirjam kust zijn tranen weg.

‘Nee, lieverd, ik laat je niet in de steek. Je moet me vertrouwen. Probeer ook eens in de Bijbel te lezen en te bidden. Je mag misschien nog jaren leven, ook al draag je de dood in je. Hier op aarde ben ik bij je, maar hoe moet het als het sterven wordt?’

‘Daar denk ik liever niet aan.’

‘Toch is het heel belangrijk. Ik kan nog eerder sterven en weet dat God het leven hier op aarde in Zijn hand heeft. Wij zijn allemaal Zijn eigendom. Hij heeft ons geschapen en Hij mag met Zijn eigendom doen wat Hij wil. Hij zal ons in huis halen of ons wegwerpen als zondaar en dat laatste zal vreselijk zijn... Heb je daar geen last van, Theo?’

‘Nee, zo ver gaat het niet bij mij. Die God die jij bedoelt, heeft mij op aarde gezet zonder dat ik erom heb gevraagd. Ik heb mijn leven lang hard gewerkt en heb niemand bij mijn weten wat tekort gedaan. Maar ik ben wel ziek en weet jij waarom? Heb ik dit verdiend, Mirjam?’

‘We hebben allemaal onze waaroms, Theo, maar er is ook zoiets als waartoe.’

‘Jij hebt makkelijk praten.’

‘Nee, dat is niet makkelijk praten. Wij zitten te vast aan deze aarde. Als alles naar onze wens verloopt, dan kunnen we het leven aan en denken alles in onze macht te hebben en zelfs alles met geld te kunnen regelen. Er is er echter maar Eén Die beslist over leven en dood en daar zijn we te weinig mee bezig.’

‘Het zijn mooie woorden, Mirjam en je zult het ook wel goed bedoelen en doordat je nu zo eerlijk over het geloof praat, ga ik je weer meer vertrouwen... Ik was echt bang dat je me in de steek zou laten en er met Ronny Terfont vandoor zou gaan...'

'Over zulke dingen moet je niet piekeren. Ik ben en blijf je trouw. Ik zat wat in de put vanmiddag en daar heeft Ronny op ingespeeld, dat is zo.'

'Toch moet je voor hem oppassen. Volgens De Korte is hij gescheiden en heeft hij een kind.'

'De Korte moet niet zoveel kletsen en zich alleen met zijn werk bemoeien,' antwoordt Mirjam kwaad.

'Toch kun je een prooi worden van zo'n man. Hij weet dat jij mijn enige erfgenaam bent.'

'Maak je daar niet te druk om, Theo. Het gaat nu alleen om jou en ik blijf je voor altijd trouw. Je moet me geloven en vertrouwen.'

'Wat is er anders nog voor me weggelegd? Wat heb ik nog te verwachten van het leven?'

'Dat wij er samen nog iets van proberen te maken.'

'Jij moet gewoon met de zaak doorgaan. Het is jammer dat je twee mensen bij je hebt die niet te vertrouwen zijn en die je ook weer niet kunt missen. We zouden samen eens naar twee nieuwe mannen kunnen uitkijken die jij dan kunt inwerken.'

'Moeten het per se mannen zijn?' vraagt Mirjam.

'Het mogen van mij ook vrouwen zijn, maar je weet zelf dat de zakenwereld hard kan zijn.'

'Ben je niet tevreden over me?'

'Als vrouw zeker.'

'En als zakenvrouw?'

'Mag ik eerlijk zijn?'

'Dat ben je toch altijd?'

'Dat ligt eraan.'

'Geef antwoord, Theo, en draai er niet omheen. Hoe vind je mij als zakenvrouw?'

'Een vrouw is wat zachter van aard en gaat vaak niet tot het uiterste met onderhandelen. Je hebt het nu weer opgegeven wat die prijs van dat winkelpand betreft. Ben de Korte had er een goede prijs uit kunnen halen als Ronny Terfont wat geduld had gehad. Hij gaat zomaar tien procent zakken. Terwijl er anderen zijn die dit pand nog graag zouden willen huren, gaat hij het verkopen onder de prijs door en weet je waarom hij dat doet?'

'Nee...'

'Om Ben de Korte de loef af te steken. Die twee kunnen niet samenwerken en daarom moet jij daar aanwezig zijn en ze in de gaten houden.'

'Ik denk dat ze mij in de gaten houden. In ieder geval De Korte,' antwoordt Mirjam.

'Die man heeft een voornaam. We noemen de meeste mensen op de zaak bij hun voornaam, maar hij is altijd meneer De Korte voor ons geweest,' zegt Theo.

'Als één het moet weten, ben jij het, want hij heeft nog bij je schoonvader gewerkt. Bijna niemand noemt hem bij de voornaam, dat heeft met zijn leeftijd te maken en hij is echt een heer om te zien en zo gedraagt hij zich ook.'

'Daar heb je gelijk in, de meesten durven hem niet bij zijn voornaam te noemen.'

'Ronny Terfont toch wel.'

'Dat zal hem niet erg aanstaan.'

'Wat kan het mij schelen? Ik zal hem wel een naam geven,' lacht Mirjam.

'Het klinkt vertrouwelijker.'

'Die eer gun ik hem niet eens,' antwoordt Mirjam kort.

'Toch moet hij bij ons op de zaak blijven werken, hij is beter dan Ronny Terfont,' zegt Theo.

'Ben je nog steeds een beetje jaloers omdat ik met hem naar het strand ben geweest en een kop koffie heb gedronken?'

'Vind je het zelf normaal?'

'Dat niet, maar ik heb je al verteld, dat ik het even niet meer zag zitten en hij heeft daar gebruik van gemaakt,' erkent Mirjam eerlijk.

'Hij is gescheiden en heeft een zoontje. Dat kind woont voorlopig bij zijn zus.'

'Dan zal hij daar ook wel wonen. Hoe oud is hij?'

'Weet je dat niet?'

'Nee...' antwoordt Mirjam verlegen.

'Volgens De Korte achtentwintig.'

'Dan heeft hij nog een jong zoontje.'

'Weet jij iets van zijn vrouw?'

'Nee...'

'Geef me nog maar een glas wijn.'

'Omdat je zo lief bent. Je moet ook wat eten, Theo.'

'Het eten smaakt me de laatste tijd niet zo.'

'Waar heb je dan echt zin in? Dan maak ik het voor je klaar.'

'Ik zou het niet weten. Geef maar een stukje oude kaas, dat smaakt bij een glas wijn,' antwoordt Theo.

15

Mirjam is een week thuisgebleven. Zo kon de verpleegkundige een week vrij nemen. Ze zorgt nu helemaal voor Theo, terwijl Marie het huishouden doet.

Theo heeft een rolstoel en kan zich nu beter in huis verplaatsen. Mirjam probeert in hun werkkamer thuis nog wat werk te doen en ze wordt vaak gebeld door zakenmensen en ook door De Korte en Ronny Terfont. Ze slaapt nu alleen. Theo heeft een knop bij zijn bed waarmee hij haar kan bereiken. Het is een soort intercom. Ze kan er ook door praten met hem, dus kunnen ze elkaar bereiken als er 's nachts iets gebeurt. Als Theo overdag in bed ligt kan hij haar ook in haar werkkamer bereiken.

Mirjam gaat vaak met Theo in de rolstoel in het bos wandelen. Hij is de laatste tijd erg stil. Mirjam voelt ook dat er een soort afstand tussen hen groeit. Toch is ze er deze week echt voor hem, al gaat het tussen hen niet zoals het bij man en vrouw hoort te zijn.

Op een avond wil ze vroeg naar bed gaan. Ze is moe, geestelijk en lichamelijk. Ze heeft hard gewerkt: administratiewerk, een paar moeilijke telefoontjes en de zorg voor Theo. Ze helpt hem zelf in bed en in de rolstoel. Ze is dit werk niet gewend en voelt haar rug behoorlijk. Ze zal blij zijn als de verpleegkundige er weer is. Marie wil haar wel helpen, maar ze helpt Theo liever zelf zolang de verpleegkundige er niet is.

Ze valt die avond al snel in slaap. Maar van de droom die haar overvalt, is ze behoorlijk overstuur. Ze laat niks aan Theo merken. Ze verwerkt liever alles zelf, hier kan ze toch niet met hem over praten. Het was net echt. Ronny was in haar droom bij haar. Hoe kan dit...? Hij was bij haar en zoende haar...! Ze hoort nog zijn stem, ze ziet zijn blauwe ogen die haar aankijken, ze voelt zijn hand die door haar lange, donkere haren ging. Hij fluisterde steeds opnieuw: 'Mirjam, Mirjam je bent van mij.' Hij drukte haar tegen zich aan en zoende haar telkens weer. Ze werd wakker en wilde roepen: 'Niet doen!' Ze vond het raar en toch ook weer niet. Hoe komt het dat een mens droomt over dingen die zo echt lijken en waar je helemaal in opgaat?

Waarom Ronny...? Ze moet eerlijk zijn: het was geen nachtmerrie. Ze vond het een fijne droom, maar toch was ze bang voor hem. Of was het om Theo? Verlangde ze misschien naar hem? Droomde ze daarom van hem? Houdt hij echt van haar of houdt ze zichzelf voor de gek? Verlangt ze naar deze jonge, knappe man? Geeft ze dan niks meer om haar eigen man? Is het waar dat ze meer een verhouding met Theo heeft als vader en dochter? Lichamelijk contact met hem heeft ze nauwelijks, maar ze houdt toch van hem?

Ze moet dit uit haar hoofd zetten. Toch is er steeds dat stemmetje in haar binnenste: 'Je hebt een oudere, zieke man getrouwd. Je dacht dat je van hem hield en je wist dat hij die vreselijke ziekte bij zich droeg. Ben je uit medelijden met hem getrouwd? Zocht je een soort geborgenheid? Hij was altijd erg lief voor je, toen hij nog niet verlamd was en alles nog kon.'

Nu is alles zo anders. Nu is hij een man die afhankelijk van haar en van anderen is en die vaak erg jaloers is, als er mannen in haar buurt komen. Hij wil dat ze nu helemaal thuisblijft bij hem. Kan ze dit wel aan? Hij is toch haar eigen man? Je zorgt toch graag voor je eigen man? Ze heeft het hem in het begin zelf aangeboden. Nu is er een week voorbij en verlangt ze naar een soort vrijheid en naar... Nee, dat mag niet...! Het is al erg genoeg dat ze van Ronny heeft gedroomd. Is het de angst om Theo...? Hij is toch haar man. Nee, hij is geen man. Ze merkt het vaak aan Theo en van de week heeft hij haar gevraagd of ze niet naar een echte man verlangt. Ze is toen hevig geschrokken.

Hij huilde en snikte: 'Je kunt niet meer van mij houden. Zeg het maar eerlijk. Je hebt geen man meer. Ze hebben al het mannelijke bij mij weggehaald! Waarom leef ik nog? Waarom blijf je nog bij me?'

Ze heeft hem getroost en hem verzekerd dat ze nooit aan een andere man denkt en zeker geen behoefte aan een man heeft.

Is ze wel eerlijk tegen hem geweest? Ze kan hem toch niet bedriegen? Theo is haar man en je houdt toch van je eigen man en hebt toch alles voor hem over, ook al is het niet meer zoals het tussen man en vrouw hoort te zijn.

Mirjam staat op. Haar lichaam is nat van het zweet. Ze kijkt even in de kamer en ziet dat Theo nog slaapt. Hij heeft zware slaappillen tegen de pijn. Ze haalt een fles wijn uit het wijnrek en neemt de fles mee naar haar kamer.

Ze gaat in een makkelijke stoel zitten, pakt een glas van de wastafel en schenkt het glas halfvol en moet aan haar vader denken, die ook 's nachts opstond en dronk als hij een probleem had waardoor hij niet kon slapen. Ze moet nog denken aan die nacht toen haar vader ook in de kamer zat en haar waarschuwde dat ze niet met Theo moest gaan. Had haar vader dan toch gelijk? Is dit haar straf? Heeft ze te veel gedacht aan de man die een grote bankrekening heeft en met wie ze op zakenreis mocht? Ja, het is haar eigen schuld. Iedereen heeft haar gewaarschuwd. Zelfs De Korte die haar ervan verdacht dat ze haar directeur wilde inpalmen en toen haar vader heeft gewaarschuwd. Hebben deze mensen gelijk gehad? Ze wist dat hij een ziekte onder de leden had. Hij heeft het haar eerlijk verteld. Wist ze wel goed wat die ziekte betekende? Nee, ze heeft nooit kunnen denken dat alles zo zou eindigen: een oude, zieke man die het grootste gedeelte van de dag in bed moet doorbrengen of in een rolstoel moet rijden. Zover heeft ze toen niet kunnen denken. Ze waren samen gelukkig. Ze hielden echt veel van elkaar.

Nee, het was niet zoals veel mensen dachten, dat ze een rijke man wilde trouwen en misbruik van hem heeft gemaakt. Als dat wel zo is, dan moet ze er nu ook voor Theo zijn. Ze mag niet zo denken over Theo. Ze moet net zoveel van hem blijven houden als toen ze met hem trouwde, maar kan ze dat wel? Ze neemt nog een paar slokken wijn en zet het glas neer.

Ze is geen verzorgend type. Ze heeft een week voor Theo gezorgd en daar moest Marie haar vaak nog bij helpen. De verpleegkundige heeft haar alles voorgedaan en ook nog gevraagd of ze een vervanger moest sturen.

'Ik wil per se zelf voor Theo zorgen en misschien wel helemaal in de toekomst,' heeft ze flink tegen de verpleegkundige gezegd. Nu is er een week voorbij. Ze zal blij zijn als de zuster terug is en voor Theo zorgt. Vooral de stoma is erg lastig en zeker voor Theo die hier al maanden mee moet leven.

Ze kan wel mooi praten tegen Theo, als hij pijn heeft of het niet meer ziet zitten. Soms zou ze wel weg willen rennen. Ze is geen zorgtype of moedertype. Ze is meer zoals haar vader die niet tegen problemen kan. Dan ging het thuis ook vaak fout en ging hij 's nachts aan de drank. Zij was het mooie kantoor en zakenleven gewend, toen ze samen met Theo op zakenreis ging en van de geneugten van het leven kon genieten in restaurants en hotels en met zakenmensen kon omgaan en met volle teugen genoot van het uitgaansleven. Nou ja, op een nette manier dan, zoals het een christen past. Theo ging zich wel eens te buiten aan de drank met zijn zakenvrienden als ze goede zaken hadden gedaan.

'Nee, dit kan ik niet volbrengen,' bekent Mirjam zichzelf. Stel je voor dat Theo nog jaren blijft leven... Kan ze dat aan? Hoe moet het dan verder? Ze zal nu ook nooit moeder worden. Theo wilde graag een kind, een opvolger voor zijn bedrijf, maar ze bleven kinderloos. Het is maar goed ook, ze is geen moedertype. Ze wil graag vrij zijn, maar ze is niet vrij, ze is gebonden aan een oudere, zieke man.

Mirjam zet de fles naast zich neer en gaat op haar bed liggen. Ze heeft het warm van de wijn en valt al snel in slaap.

De volgende morgen wordt ze gewekt door haar huishoudster.

'Mevrouw, het is al half tien. Bent u ziek?'

Mirjam kijkt haar aan alsof ze op een andere planeet is. Marie ziet de half lege fles staan en schudt haar hoofd. Mirjam wil opstaan, maar het lijkt of ze met mokerslagen op haar hoofd slaan. Ze beseft dat ze te veel heeft gedronken. Ze staat voorzichtig op, houdt haar hoofd onder de koude kraan en gaat zich dan douchen. Als ze aangekleed is en de kamer inkomt, ziet ze dat Theo al in zijn rolstoel zit.

'Goedemorgen, lieverd. Ben je ziek?'

'Nee, ik heb hoofdpijn.'

'Het is maar goed dat de verpleegkundige vandaag weer is begonnen.'

'O, ze is dus weer terug. Heeft ze je uit bed geholpen?'

'Ja. Je moet nog ontbijten.'

'Ik ga wel even in de keuken een sneetje eten.'

'Goed, dan lees ik de krant wel.'

Mirjam is blij dat de verpleegkundige er weer is en maakt voor zichzelf al plannen. Ze moet eruit vandaag. Ze houdt het geen dag meer uit in huis en kan het verzorgen van Theo ook even niet aan.

'Zo, ben je daar weer? Hoe is het met je hoofdpijn?'

'Gaat wel.'

'Goedemorgen, mevrouw. Is het nogal gelukt van de week?' vraagt de verpleegkundige.

'Het ging wel, hoor,' antwoordt Mirjam.

'Dus u kunt mij wel missen? Dan neem ik nog maar een weekje vrij.'

'Nou, nee, het is best zwaar,' antwoordt Mirjam als ze ziet dat Theo verdiept is in zijn krant.

'Goed, dan blijf ik voorlopig maar.'

'Trouwens, Theo vind je het goed dat ik vandaag naar de zaak ga? Ik ben er een hele week niet geweest.'

'Dat is goed, laat je gezicht maar eens een keer zien. Als het niet gaat kom je maar naar huis. Je ziet bleek. Neem nog maar een tablet tegen de hoofdpijn.'

'Dat heb ik al gedaan.'

Ze geeft Theo een zoen op zijn wang en zegt: 'Je ziet wel hoe laat ik thuis ben en bel me als er wat is.'

'Maak je geen zorgen om mij, ik heb twee dames om me heen die voor me zorgen,' antwoordt Theo op een wat vreemde manier.

Mirjam voelt dat hij het niet prettig vindt dat ze weggaat. Ze heeft een hele week voor hem gezorgd en nu gaat ze de eerste dag dat de verpleegkundige er weer is, al op de vlucht.

Ze stapt met een zucht in haar auto. Ze voelt zich, als ze op de weg rijdt en de zon heerlijk schijnt, alsof ze als een vogeltje uit een kooi is vrijgelaten. Maar toch komt er ook een soort schuldgevoel naar boven.

Ze parkeert haar wagen op een plaats voor het kantoor en stapt naar binnen. Het meisje aan de balie zegt vriendelijk: 'Dag, mevrouw. Fijn dat u er weer bent.'

'Dank je.'

Ze loopt regelrecht naar haar kantoor. Als ze de deur open doet schrikt ze, want Ronny Terfont zit achter het grote bureau. Hij staat snel op.

'Hallo, hoe is het met je, Mirjam?'

'Mevrouw Verschoot bedoel je,' antwoordt Mirjam afstandelijk.

'Goed, zoals je wilt.

'Voor jou ben ik u, wil je dat onthouden?'

'U gaat wel een beetje ver. Ik werk hier al een tijdje en heb uw man leren kennen als een goed zakenman en ik heb mij honderd procent ingezet in uw bedrijf. Als u liever hebt dat ik een andere werkgever zoek, dan moet u dat gewoon zeggen.'

'Ik waardeer je werk en mijn man ook, maar dat geeft jou niet het recht om de plaats van mijn man en mij hier in te nemen.'

'Hoe bedoelt u?'

'Je hebt hier al een foto van een kind op mijn bureau staan,' zegt Mirjam terwijl ze naar de foto kijkt.

'Dat is mijn zoontje Rudolf, hij is vijf jaar.'

Mirjam pakt het lijstje met het fotootje en zegt: 'Hij lijkt wel een beetje op je.'

'Dank u.'

'Was je vrouw knap?'

'Daar praat ik liever niet over.'

'Waarom niet?' vraagt Mirjam die merkt dat Ronny nerveus wordt, terwijl hij daar nooit last van heeft.

'Er is veel gebeurd in ons korte huwelijk en dat wil ik graag vergeten.'

'Komt je zoontje nog bij je ex?'

'Nee.'

'Heeft ze daar geen recht op?' Ronny pakt een stoel en gaat zitten, nu Mirjam zo persoonlijk wordt.

'Ze is van ons weggegaan en heeft na de scheiding niets meer van zich laten horen.'

'Woon je op jezelf of bij je zus?'

'Hoe weet u dat ik bij mijn zus heb gewoond?'

'Dat heb ik van mijn man gehoord.'

'O, dan weet ik wel waar dat vandaan komt.'

'Wie bedoel je?'

'Ben de Korte, hij heeft het toch ook over ons gehad.'
'Hoe weet je dat?'
'Van uw man. Hij heeft me gebeld en me gewaarschuwd.'
'Echt waar? Heeft mijn man je daarover gebeld?'
'Ja. Ik wist niet dat De Korte zover zou gaan om de vrouw van de baas te bespioneren.'
'Er is toch niks bijzonders gebeurd?'
'Ben de Korte zag er wel wat in en hoopte dat uw man me ontslag zou geven en hij hier het heft alleen in handen zou krijgen. Dat heb ik ook tegen uw man gezegd, maar hij wilde niet dat ik weg zou gaan en heeft gezegd dat u niet meer op kantoor komt en dat u thuis uw werk doet. Daarom heb ik uw kantoor in gebruik genomen.'
'Heeft mijn man daar toestemming voor gegeven?'
'Nog sterker: hij heeft me beloofd dat ik zijn opvolger zal worden.'
'Hoe kan dat...? Heeft hij dat echt gezegd? Ik weet hier niks van.'
'Dan kunt u dat beter eerst met uw man bespreken, ik wil wel weten waar ik aan toe ben,' antwoordt Ronny Terfont.
'Hoe heeft Ben de Korte daarop gereageerd?'
'Toen ik hem vertelde dat ik hier de directie ging vervangen heeft hij meteen naar uw man gebeld. Hij was in het begin niet te genieten en heeft om overplaatsing naar een van onze bedrijven gevraagd.'
'Heeft hij dat ook aan mijn man gevraagd?'
'Ja, uw man heeft het aan mij overgelaten,' antwoordt Ronny.
'Er wordt veel achter mijn rug geregeld, maar ik begrijp wel dat ik terug moet treden, nu u weer terug bent.'
'Ik ga eerst mijn man bellen.'
'Zoals u wilt.'
Mirjam belt Theo en hij geeft toe dat hij het zo beter vindt

en hoopt dat zij de leiding ook aan Ronny Terfont zal overgeven en bij hem thuis komt werken, wat voor hen beiden beter is.

Mirjam legt de telefoon neer en zegt tegen Ronny: 'Je hebt gelijk, hij heeft liever dat ik thuis kom werken, dus...'

'Zou je dat wel doen?'

Mirjam geeft geen antwoord, stapt het kantoor uit en rijdt naar huis. Ze voelt zich opgewonden, omdat Theo zaken achter haar rug heeft geregeld.

16

Ze rijdt naar huis, loopt naar binnen, gaat met haar jas nog aan de woonkamer in en gaat voor Theo staan die op zijn bed ligt.

'Waarom heb je dit gedaan?'

'Wat is er met jou aan de hand?'

'Dat weet je heel goed!' schreeuwt Mirjam tegen hem.

'Zeg op, wat is er?' zegt Theo alsof hij nergens van weet.

'Je hebt Ronny Terfont ons kantoor gegeven en mijn bureau.'

'Nou en...?'

'Dus dat vind jij normaal en dat heb je allemaal achter mijn rug geregeld.'

'Luister, Mirjam.'

'Nee, ik luister niet,' valt Mirjam uit.

'Ronny Terfont is nu algemeen directeur van ons bedrijf. Jij vond hem er ook geschikt voor.'

'Maar hoe kon je dat nu doen!'

'Omdat jij je werk gewoon hier kunt doen.'

'Stofzuigen of zo?'

'Nee, Mirjam. Je hebt hier een eigen kantoor en kunt van hieruit werken.'

'Heb ik het niet gedacht? Meneer regelt alles achter mijn rug en zet zijn vrouw aan de kant, zodat ze de hele dag bij zijn bed kan zitten!' schreeuwt ze kwaad terwijl ze zich omdraait en haar jas op een stoel smijt.

'Luister, Mirjam.'

'Dit is niet eerlijk!'

'Waarom wil je daar zo graag op kantoor werken, terwijl je die tijd dat ik nog te leven heb, bij mij kunt zijn?'

Mirjam geeft geen antwoord, gaat naar haar kamer en laat zich op het bed vallen.

Ze hoort Theo praten met de verpleegkundige die hem in zijn rolstoel helpt.

Even later gaat de deur van haar kamer open en rijdt Theo haar kamer binnen. Hij ziet Mirjam op haar bed liggen. Hij rijdt met zijn rolstoel naast haar bed en legt zijn hand op haar arm.

'Mirjam, waarom...? Waarom?'

Mirjam draait haar gezicht naar hem toe. Hij ziet dat er tranen in haar ogen staan.

'Mirjam, waarom wil je me niet begrijpen?'

'Hoe kan ik jou nou begrijpen als je de zaken achter mijn rug regelt?'

'Dat doe ik voor je bestwil.'

'Je zult bedoelen voor jezelf. Heb ik gelijk of niet?'

'Voor ons beiden is het zo beter. Laten we beiden afstand van de zaak nemen zolang ik nog te leven heb...'

'En ik hier de hele dag met jou samen opgesloten zit!'

'We kunnen toch op vakantie gaan?'

'Jij hebt makkelijk praten,' antwoordt Mirjam.

'Waarom wil je niet bij me zijn? Laten we nog genieten van de tijd die we bij elkaar zijn. Voor het geld hoef je nooit meer te werken. Als ik er niet meer ben kun je zelf beslissen hoe je verder wilt gaan met ons bedrijf. Dan is alles van jou.'

'Als je er zo over denkt, dan denk je alleen aan jezelf.'

'Daar heb je misschien wel gelijk in. Gun je me de tijd die ik nog te leven heb, dat we samen zijn, of wil je liever op kantoor zijn vanwege Ronny Terfont?'

'Hoe bedoel je?' vraagt Mirjam wat geschrokken.

'Dat je hem liever ziet dan mij. Zeg het maar eerlijk.'

'Nee, dat is het niet.'

'Wat dan?'

'Je regelt alles buiten mij om en laat Ben de Korte mij bespioneren.'

'Nou ja...' zegt Theo die niet weet wat hij hier op zal antwoorden.

'Zeg maar gewoon dat je jaloers bent op Ronny en daarom mij bij je wilt hebben.'

'Vind je dat erg?'

'Op deze manier wel. Je kunt Ronny toch overplaatsen als je liever niet hebt dat ik hem ontmoet?'

'Nee, Mirjam. Als ik er niet meer ben mag je dat zelf beslissen, maar zolang ik nog te leven heb, wil ik jou bij me hebben.'

'Waarom doe je dat op zo'n vreemde manier en heb je er eerst niet met mij over gesproken?'

'Je weet zelf dat Ronny Terfont een prima zakenman is. Hij heeft de touwtjes stevig in handen. Zelfs De Korte heeft hij onder de duim.'

'Maar wat heeft dat allemaal met mij te maken? Ik ben toch je vrouw en kan daar toch zelf de zaken regelen? Als je bang bent dat ik met Ronny langs het strand ga wandelen en zo, zeg dat dan gewoon.'

'Goed, je hebt gelijk. Ik had er gewoon met je over moeten praten... Ik... je weet...' Verder komt Theo niet. Hij laat zijn hoofd zakken en huilt zachtjes. Mirjam staat op van haar bed en legt haar arm om zijn schouder.

'Theo, Theo... het is goed... Ik heb je pijn gedaan. Zeg het maar eerlijk.'

Theo richt zijn hoofd op. Zijn wangen zijn nat van tranen. Mirjam kijkt hem verdrietig aan. Daar zit nou die grote zakenman als een gebroken man in een rolstoel. Hij kan nog geen halve dag in die rolstoel zitten, dan moet hij weer op bed liggen omdat hij half verlamd is. De man van wie ze is gaan houden en die nu haar man is. Hij is twintig jaar ouder dan zij, maar was toen nog een vlotte man. Nu is zijn lichaam gesloopt door de vreselijke ziekte die kanker heet.

Theo veegt zijn tranen weg en zegt: 'Je weet dat ik niemand

heb dan jou. Natuurlijk heb ik veel vrienden in de zakenwereld en word ik hier goed verzorgd, maar er is niemand van wie ik echt hou. Zelfs familie heb ik niet meer, van mijn kant leeft er niemand meer. Ik was enig kind en mijn ouders leven niet meer. De familie van mijn eerste vrouw wil niets met me te maken hebben. Haar familie is zelfs niet op haar begrafenis geweest. Ik stond alleen aan haar graf.'

'Dat weet ik allemaal, Theo. Je hebt het me al zo vaak verteld, maar waarom praat je niet gewoon over jezelf? Ik bedoel zoals nu. Ik ga naar kantoor en dan zit Ronny in ons kantoor achter mijn bureau. Daar had je toch met me over kunnen praten? Dan was ik niet naar kantoor gegaan. Je moet eerlijk zijn tegenover mij, dat ben ik toch ook tegenover jou?'

'Daar heb je wel gelijk in.'

'Nu geef je me weer gelijk en toch doe je vaak zo geheimzinnig.'

'Ik heb toch geprobeerd het je uit te leggen? Ik wil jou hier in huis hebben.'

'Dus je bent bang, dat ik je in de steek zal laten. Ik kan toch ook halve dagen naar kantoor gaan, zodat we zelf de touwtjes in handen houden? Omdat jij Ronny niet vertrouwt, kunnen we ons bedrijf toch zomaar niet in vreemde handen geven?'

'Dat heb ik allemaal al geregeld.'

'Dat denk jij.'

'De Korte houdt alles achter zijn rug in de gaten en houdt mij op de hoogte van alles.'

'Zelfs je vrouw houdt hij in de gaten. Heb ik het goed?'

'Nou ja...'

'Zeg het maar eerlijk. Je hebt Ronny en mij laten volgen.'

'Daar had ik mijn reden voor.'

'Dus je denkt nog steeds dat ik je ontrouw ben?'

'Daar ben ik juist zo bang voor,' antwoordt Theo eerlijk.

'Daar hoef je niet bang voor te zijn. Ik ben een christen en heb je in de kerk trouw beloofd.'

'Totdat het leven hier op aarde ons scheidt,' antwoordt Theo.

'Dat heb je goed, ja...'

'Dus je wacht op mijn dood?'

'Wat ben je gemeen, Theo.'

'Zo is het toch?'

'Nee, Theo. Ik ben met je getrouwd en zal je altijd trouw blijven en wat er na de dood gebeurt weet niemand. Trouwens, ik kan wel eerder sterven, dat hebben wij niet in de hand.'

'Als we nu eens samen hier weggaan en genieten van het leven zolang ik nog te leven heb,' begint Theo opnieuw.

'Waar wil je dan heen?'

'Naar mijn beste vriend in Florida, bij wie we onze huwelijksreis hebben doorgebracht.'

'Het zijn aardige mensen, dat wel, maar ik ben bang dat het voor jou te ver en te vermoeiend is. Je ligt nu al halve dagen op bed en hebt hulp nodig. Je kunt dit de familie Amstrong ook niet aandoen.'

'Hij heeft het me zelf gevraagd,' antwoordt Theo.

'Daar heb je weer zoiets. Waarom vertel je me dit nu pas en moet eerst alles uit de hand lopen? Waarom praat je niet gewoon als man met je vrouw?'

'Dat doe ik nu toch?'

'Wanneer heeft Alfred Amstrong je gebeld?'

'Verleden week of zo.'

'Zie je wel, daar weet ik niks van,' zegt Mirjam geïrriteerd.

'Ik denk dat het komt omdat ik vaak zelf mijn zaken regelde en wij in ons eerste huwelijk elkaar niet alles vertelden. We waren te druk met ons zakenleven en hadden niet veel tijd voor elkaar.'

'Je hebt nu een andere vrouw. Ik vertel jou toch ook alles?'

'Dat weet ik niet.'

'Ga je nu weer de jaloerse echtgenoot uithangen?'

'Mirjam, het valt niet mee om de hele dag thuis te zijn, terwijl ik altijd veel reizen heb gemaakt voor het bedrijf. Ik ben stilgezet, Mirjam, en dat wil jij niet begrijpen.'

'Dat doe ik wel, maar je kunt niet van mij verlangen dat ik dan ook de hele dag hier ga zitten en onze zaken aan een ander overlaat. Je mag ook gerust eens aan je vrouw denken.'

'Dat heb ik ook vaak gedaan, de lange dagen dat ik hier ben.'

'Ik ben een week of nog langer hier bij jou in huis geweest en je hebt een hulp met haar man hier en ook nog een verpleegkundige die je overal mee helpt.'

'Je wilt me niet begrijpen, Mirjam.'

'Natuurlijk begrijp ik je heel goed.'

'Nee, Mirjam, je hebt het er niet voor over om hier te zijn zolang ik nog leef.'

'Wat heb je aan elkaar? Wat heb je eraan als ik hier de hele dag rondhang?'

'Je houdt gewoon niet meer van me. Je wilt een man. Je hebt deze man om zijn geld getrouwd. Heb ik het goed? Zeg het eens eerlijk?' vraagt Theo met grote ogen in zijn hoofd.

'Nee, Theo, ik hield echt van je.'

'Dat hield... ja, dat is het juiste woord. Nu heb je niks meer aan een man die in een rolstoel zit of op bed ligt en verlamd is. Daar kun jij niet meer van houden...'

'Wat ben je weer overdreven zielig aan het doen. Hoeveel mensen zijn er niet die in een rolstoel zitten en niet eens zo goed verzorgd worden zoals jij? Ze moeten vaak naar een verzorgingstehuis. Jij bent rijk en kan je die luxe veroorloven.'

'Dat waardeer ik en ik heb er mijn hele leven hard voor gewerkt. Mag ik dan de jaren die ik nog heb, van mijn eigen vrouw genieten?'

'Van mij?'

'Ja, van jou. Als jij me nu ook al in de steek laat, breng me dan maar weg,' schreeuwt Theo kwaad.

'Theo, je weet heel goed dat ik als je vrouw mijn best doe en van je hou. Dat ons leven door jouw zo anders is geworden vind ik natuurlijk net zo erg als jij, maar daar kunnen we beiden toch niks aan doen?'

'Dat is waar, Mirjam, het is nu eenmaal zo voor ons beiden. Als je bij mij weg wilt, zeg het dan eerlijk,' zegt Theo emotioneel.

'Onzin Theo, dat heb ik nooit gedacht. Je weet heel goed dat ik je als vrouw trouw zal blijven. Alleen vertrouw jij me niet en ben je bang dat ik met een andere man ga. Heb ik gelijk of niet?'

Theo pakt de wielen van zijn rolstoel, draait de rolstoel om en gaat zonder nog wat te zeggen haar kamer uit en gaat terug naar zijn kamer, waar de verpleegkundige hem in bed helpt.

Mirjam blijft achter en gaat op haar rug liggen.

'Wat moet ik nu...?'

Ze zijn in het begin samen best gelukkig geweest, maar nu moet ze zich overgeven aan hem, nu hij haar zo nodig heeft. Hij wil haar helemaal bezitten gedurende de tijd die hij nog te leven heeft. Hoelang zal dat zijn? Kan ze het opbrengen om hier in huis te blijven, voor hem te zorgen, met hem te gaan rijden en lief voor hem te zijn? Ze kunnen genieten van het leven. Geld speelt geen rol. Theo heeft zelfs de leiding van zijn bedrijf aan Ronny overgedragen, terwijl hij erg jaloers op hem is. Het is eigenlijk een schijnleiding, want De Korte houdt alles in de gaten en als er iets mis gaat komt Theo het via hem te weten en kan Ronny vertrekken. Ze komt er niet uit. Eigenlijk heeft Theo via De Korte de touwtjes nog in handen en laat hij achter de schermen Ben de Korte voor zich werken. Zo wordt Ronny voor de gek gehouden. Het zal toch niet zo zijn dat alles bij de notaris zo geregeld is dat De Korte er met het hele bedrijf vandoor gaat, als Theo merkt dat ze...? Nee... Ze moet wel op haar hoede zijn. Theo is een doortrapt zakenman en die De Korte is er nog gemeen bij.

Ronny... Ze ziet zijn gezicht voor zich. Zijn blonde, wat lange haar en die lichtblauwe ogen die haar soms als lampjes toelachen. Ronny... ze moet het zichzelf bekennen dat ze... Ja, ze vindt hem erg aantrekkelijk. Ze is een getrouwde vrouw, maar als ze niet getrouwd zou zijn... Ze weet zeker dat ze dan met hem zou gaan. Hij zou de man zijn, als ze vrij zou zijn...

Nee, ze moet hem uit haar hoofd zetten. Ze mag Theo geen pijn doen. Ze heeft hem trouw beloofd. Nee, dat mag niet. Dat zal ze haar man nooit aandoen.

Als Theo niet ziek zou zijn, zou ze dan ook gedacht hebben aan Ronny...? Ze kan er zelf geen antwoord op geven. Er is een strijd in haar aan de gang tussen twee mannen. Het zweet staat in haar handen. Het is niet goed wat er in haar hart leeft. Toch is de vonk overgeslagen toen ze gingen wandelen langs het strand en ze zal zelf moeten blijven blussen en niet te dicht bij dat vuur moeten komen. Theo heeft het in de gaten en wil haar van hem weg houden en laat De Korte een oogje in het zeil houden. Theo is nu door haar schuld de jaloerse echtgenoot. Ze had toen niet met Ronny mee moeten gaan naar het strand.

Ze heeft de foto van zijn zoon op haar bureau zien staan. Wat een lief kereltje! Hoe kan een moeder zo'n kind en zo'n man in de steek laten? Spreekt hij de waarheid wel tegen haar? Hij is gescheiden en zijn zoontje woont bij zijn zus...

Ach, waar maakt ze zich druk om? Ze kan beter opstaan en voor haar man zorgen en met hem naar Florida gaan. Ze moet het hem naar de zin maken, zodat ze de laatste jaren nog gelukkig met elkaar kunnen zijn.

17

'Theo, vind je het goed dat ik vanmiddag naar kantoor ga?'
'Waarom?'
'Ik heb hier een zaak waar niks van klopt.'
'Wat is het voor zaak?'
'Je weet wel, die oude fabrieksloods bij de haven, waar ze nu zeiljachten maken.'
'Wat is daarmee aan de hand?'
'Wij verhuren die loods. Nu wil de gemeente er een soort nieuwbouw beginnen.'
'Nou, dan verkopen we die loods toch.'
'Dat is juist het probleem. Het aanbod van de gemeente is erg laag en we krijgen er nu een hoge huur voor.'
'Heb je het met De Korte en Ronny Terfont overlegd?'
'Nee, die willen het zelf regelen, maar het is ons geld.'
'Die twee zijn niet dom. Ze zorgen heus wel dat we er iets aan verdienen. Jij maakt je te druk om die zaak. De handel gaat zonder ons ook wel door. Ik heb twee goede mannen in de zaak zitten.'
'Vertrouw je De Korte dan wel?'
'Ben de Korte wel, maar Ronny Terfont is nogal eens met een eigen berekening bezig en dan moet De Korte vaak ingrijpen,' antwoordt Theo.
'Dus De Korte heeft het voor het zeggen?'
'Dat niet, hij houdt hem in de gaten.'
'Dan kan zo'n man toch niet werken? Je hebt hem als directielid aangesteld.'
'Dat is gewoon schijn. Je weet dat Ben de Korte veel slimmer is en alles aan mij doorgeeft, zodat ik nog steeds alles in handen heb.'
'Ja, maar van deze zaak weet jij niks. Heb ik gelijk?'
'Nu je het zegt...' antwoordt Theo in gedachten.

'Ik ga er vanmiddag heen, dan rust jij toch meestal tot drie uur.'

'Als jij me belooft dat we naar Florida vliegen naar de familie Amstrong.'

'Maar dat kun je toch niet? Je moet halve dagen plat liggen en dat kan niet in zo'n vliegtuig en dan helemaal naar Amerika.'

'Toch wel. Ik heb alles al met Alfred Armstrong geregeld. Hij komt ons halen als jij het ook goed vindt.'

'Daar moet ik eerst over nadenken.'

'Hij is de directeur van die vliegtuigmaatschappij, zoals je weet.'

'Dat is prima, maar het is zo ver van huis en als er wat gebeurt met jou...?'

'Zit daar maar niet over in. Laten we samen gaan genieten. Het is hier in Nederland koud en regenachtig. We kunnen met dit weer nooit eens gaan wandelen. Je weet hoe mooi het op de Key eilanden is. Het is er altijd mooi weer.'

'Goed, we praten vanavond verder. Nu ga ik naar kantoor om die zaak uit te zoeken. Er zit volgens mij een luchtje aan en zeker als jij er ook niks vanaf weet.'

'Zal ik Ben de Korte even bellen dat hij weet dat je er aankomt?'

'Nee, Theo, ik wil onverwacht bij de heren voor hun bureau staan.'

'Prima, jij je zin.'

Mirjam trekt haar jas aan en geeft Theo een zoen.

'Je moet wel op tijd naar bed gaan,' zegt ze nog bezorgd.

'Daar zorgt onze zuster wel voor. Zit over mij maar niet in.'

'Goed, ik ga nu.'

Mirjam stapt in haar auto en rijdt de stad in naar het kantoor. Ze parkeert haar wagen waar een bordje 'directie' staat. Er staan nu drie bordjes met 'directie'. Eerst stonden er maar twee. De heren hebben er voor zichzelf een bordje bij laten zetten. Zo gaat dat: als de kat van huis is, dansen de muizen.

Mirjam stapt de grote hal binnen. Het meisje aan de balie schrikt een beetje en zegt: 'Dag, mevrouw…'

'Goedemiddag.'

'Zal ik zeggen dat u er bent, mevrouw?'

'Nee, hoor, ik weet hier goed de weg. Zorg jij maar voor de klanten die daar staan te wachten.'

'Die wachten op meneer De Korte. Hij heeft al bezoek,' antwoordt het meisje.

'En meneer Terfont?'

'Die is alleen in zijn kantoor. Zal ik u even voorgaan en melden dat u er bent?' vraagt het meisje wat nerveus.

'Nee, hoor, ik weet de weg en zal hem eens laten schrikken,' lacht Mirjam vriendelijk.

Ze moet er ineens aan denken dat zij vroeger op de plaats van dat meisje zat en nu de vrouw van de directeur is. Wat kan het leven vreemd zijn. Soms verlangt ze terug naar het verleden en is ze een beetje jaloers op dat meisje achter de balie. Helaas, de tijd staat niet stil.

Mirjam loopt naar de deur van haar kantoor waar Ronny Terfont nu zetelt. Nu zit er een vreemde op haar plaats. Nou ja, een vreemde…

Ze opent de deur en ziet dat Ronny met de post bezig is. Hij kijkt op als de deur opengaat en staat snel op als hij haar ziet.

'Mirjam, jij hier?'

'Blijft u maar zitten, meneer de directeur,' zegt Mirjam sarcastisch.

Toch loopt Ronny naar haar toe, pakt haar jas aan en hangt hem aan de kapstok in de hoek van het kantoor.

'Gaat u zitten,' zegt Ronny wat nerveus.

Mirjam gaat zitten en kijkt om zich heen. Als Ronny dat

ziet, dan zegt hij: 'Alles is nog in de oude staat, Mirjam.'

'Ik ben voor jou geen Mirjam.'

'Pardon, mevrouw...'

Dan staat Mirjam weer op, loopt naar de hoek van het kantoor en ziet boven tegen het plafond een klein apparaatje.

'Wat is dat?'

'Het zal wel elektronisch zijn. Weet ik veel.'

'Het zat er niet toen ik hier de laatste keer was.'

'Ze hebben hier wat nieuwe apparaten aangelegd in verband met het computersysteem en dat zal er wel bijhoren,' antwoordt Ronny die er geen verstand van heeft.

Mirjam kijkt onder een van de schemerlampen op het bureau.

'Zal ik hem voor u aandoen?'

'Nee, laat maar.'

Dan schrijft ze op een briefje: We worden afgeluisterd en dat ding is volgens mij een camera.

Ze geeft het briefje aan Ronny die het snel leest, haar verbaasd aankijkt en vraagt: 'Wat bedoel je hiermee?'

Mirjam pakt opnieuw een blad papier en schrijft erop: 'Ze kunnen ons zien en horen.'

'Maar... maar dat is toch te gek.'

Mirjam legt haar vinger op haar lippen ten teken dat hij voorzichtig moet zijn met zijn uitspraken.

'Hoe gaan de zaken?' vraagt Mirjam met een glimlach op haar gezicht.

'Nou ja...' antwoordt Ronny terwijl hij naar het cameraatje aan het plafond kijkt en onder de schemerlamp kijkt en het apparaatje ziet. Hij wil het eraf trekken.

Mirjam trekt hem snel aan zijn arm.

'Maar dit kan toch niet.'

Opnieuw legt Mirjam haar vinger op haar lippen, pakt een vel papier en schrijft er op: 'Laten we even weggaan, dan zal ik je het uitleggen.'

'Oké...'

Ronny pakt haar jas, helpt haar erin, trekt dan zijn eigen jas aan en volgt haar het kantoor uit.

Ze stapt in zijn auto. Ronny start de motor van de auto en zegt: 'Wat heeft dat allemaal te betekenen?'

'Dat zal ik je zo wel uitleggen. Laten we naar een rustig restaurant rijden.'

Ronny kijkt haar van opzij verbaasd aan, maar Mirjam lacht vriendelijk tegen hem.

Ze stoppen voor een restaurant buiten de stad en lopen samen naar binnen.

Als ze aan een tafeltje zitten vraagt Ronny: 'Wat wil je drinken?'

'Doe maar koffie met een lekkere tompoes.'

'Meen je dat? Ik dacht dat je aan de lijn deed.'

'Het is nog steeds 'u' voor jou, meneer de directeur,' zegt Mirjam met een ernstig gezicht.

'Nou ja...'

Als ze samen aan de koffie zitten vraagt Ronny al snel wat er op kantoor aan de hand is.

'Wie is de baas op kantoor, als mijn man en ik er niet zijn?'

'Uw man heeft mij aangesteld als algemeen directeur, toen hij niet meer op de zaak kwam en u thuis werkt,' antwoordt Ronny.

'Heb je wel eens onenigheid met De Korte?'

'In het begin wel, maar de laatste tijd kunnen we goed met elkaar overweg.'

Mirjam lacht maar eens.

'Wat heeft dat allemaal te betekenen op kantoor?'

'Je bedoelt die camera en die afluisterapparatuur?'

'Ja...?'

'Heb je dat dan nooit in de gaten gehad?'

'Nee, het had te maken met het nieuwe computersysteem volgens De Korte.'

'Was je er toen ze het aanlegden?'

'Nee, hoezo?'

'Wist je niets van die camera?'

'Alleen maar dat het een soort alarm is dat afgaat als er storing in het computersysteem optreedt. Dan moeten we zo snel mogelijk onze computers afsluiten volgens De Korte.'

'En die microfoon onder die schemerlamp?'

'Daar wist ik niets van. U denkt toch niet dat ik dat zelf heb bedacht?'

'Nee, dat niet.'

'Maar hoe weet u dat?'

'Door mijn man.'

'Weet uw man ervan?'

'Dat denk ik ja...'

'Waarom doet uw man dit?'

'Hij heeft u als directeur aangesteld, maar laat u in de gaten houden door De Korte.'

'Nu gaat er bij mij een lichtje branden.'

'O, valt het kwartje?'

'Hoe bedoelt u?'

'Laat maar zitten,' antwoordt Mirjam die merkt dat Ronny in de war is.

'Dus uw man laat mij bespioneren door De Korte?'

'Het is voor mij moeilijk om hier verder over te praten. Ik wist dat de Korte mij in de gaten moest houden toen ik bij jou op kantoor werkte. Toen we een strandwandeling hebben gemaakt, wist mijn man daar ook van.'

'Vreemd. Ik weet wel dat hij een beetje vreemd is en vaak met mij over u begint.'

'En dan zeker bij jou op kantoor met die camera en afluisterapparatuur.'

'Nu u het zegt... Dus uw man vertrouwt mij niet.'
'Dat weet ik niet, maar De Korte in ieder geval niet.'
'Maar waarom heeft hij mij dan die baan gegeven en niet aan De Korte?'
'De Korte kon hij vertrouwen en de mensen in de gaten laten houden. Daar heeft mijn man vroeger, toen hij pas met mij omging, ervaring mee opgedaan.'
'O ja, toen hebben jullie hem overgeplaatst.'
'Juist.'
'Ik kan het nog niet erg volgen. Waarom moet ik in de gaten gehouden worden?'
Mirjam kijkt door het raam bij het tafeltje waar ze koffie zitten te drinken en zegt: 'Er staat aan de overkant een auto. Ik kan niet goed zien wie erin zit. Kijk jij eens voorzichtig.'
'Dat is de auto van De Korte.'
'Heeft hij dan een andere auto? Vanmiddag stond er een andere wagen op de directieplaats,' zegt Mirjam.
'Dit is de auto van zijn vrouw. Zij werkt tegenwoordig ook bij hem op kantoor. Weet u dat niet?'
'Nee, daar moet ik het dan ook eens met mijn man over hebben.'
'Maar hoe kan hij ons gevolgd zijn?'
'Via je mobiele telefoon,' antwoordt Mirjam.
'Dat kan toch niet...'
'Waar heb je dat mobieltje gekocht?'
'Dat heb ik van de zaak.'
'Dus van meneer De Korte,' lacht Mirjam gemeen.
'Nou u het zegt... Wat een smeerlap.'
'We zullen hem een poets bakken,' zegt Mirjam rustig.
'Ik sla hem op z'n...'
'Nee, rustig blijven, niet naar buiten kijken en niet laten merken dat je hem gezien hebt. Hij geeft het nu toch door aan mijn man, dus dat helpt allemaal niks.'

'Maar wat wil hij dan van mij?'

'We gaan eerst meneer De Korte laten schrikken.'

Mirjam staat op en loopt alleen het restaurant uit naar de auto die wat verdekt staat opgesteld langs de weg tegenover het restaurant. Ze doet net of ze hem niet ziet. Ronny volgt alles vanuit het restaurant door het raam.

Mirjam loopt achter de auto van Ben de Korte en doet net alsof ze naar het parkeerterrein loopt naar de auto van Ronny, dan draait ze zich snel om en loopt naar het portier van de passagiersplaats van de auto van De Korte en rukt het portier open.

'Zo, meneer De Korte.'

'O, bent u het...? Dat is ook toevallig...! Wilt u meerijden?' vraagt De Korte nerveus.

Mirjam gaat naast hem zitten en kijkt hem van opzij aan en zegt: 'U kunt uw privé-spullen op kantoor ophalen en zo snel mogelijk, want u bent ontslagen. Begrepen, meneer De Korte!' zegt Mirjam terwijl ze hem fel aankijkt. Dan stapt ze uit, loopt terug naar het restaurant en gaat weer aan het tafeltje bij Ronny zitten. Ze zien de Korte snel wegrijden.

'Wat heeft dit allemaal te betekenen?'

'Je weet dat mijn man ernstig ziek is en zelf niks met de zaak te maken wil hebben. Hij wil zelfs geen bezoek ontvangen. Alles gaat via Ben de Korte.'

'En daar weet ik als directeur niks van. Leuk is dat. Het lijkt me verstandig dat ik een andere baan ga zoeken. Ik laat me niet de hele dag bespioneren en volgen.'

'Zo erg is het nou ook weer niet. Hij houdt op de zaak alles in de gaten via jouw kantoor en volgens mijn man doe jij je werk goed.'

'Waarom doet hij dit dan?'

Mirjam weet niet zo snel hoe ze zal antwoorden.

'Gaat het soms om ons?'

'Nou ja...'

'Is het soms begonnen toen je bij mij op kantoor werkte en je man ziek werd en wij er even uitgingen om een wandeling te maken en ergens koffie te drinken?'

'Dat kun je wel zeggen. Toen is De Korte ons ook gevolgd.'

'Maar hoe kan dat dan via mijn mobiele telefoon?'

'Hij volgt een of ander geluid dat in je mobieltje is verwerkt. Het is een soort zendertje en daarmee kan hij je volgen. Het werkt alleen niet als je je telefoon uitzet, maar als zakenman zet je zo'n ding niet uit.'

'Dus uw man is jaloers op ons?' vraagt Ronny terwijl hij Mirjam recht aankijkt.

Mirjam krijgt een kleur en laat haar hoofd zakken. Ze durft hem niet aan te kijken.

'Mirjam, wat heb je tegen Ben de Korte gezegd?'

'Ik heb hem op staande voet ontslag gegeven.'

'Echt?'

'Ja, hij zal nu wel bij mijn man zitten en zijn beklag over ons doen.'

'Het lijkt me verstandiger dat ik zelf ontslag neem.'

'Waarom zou je?'

'Je man zal dit niet pikken.'

'Dat regel ik zelf wel. Hij mag geen dingen achter mijn rug om regelen en hij weet heel goed hoe ik over Ben de Korte denk. Nu maakt hij zelf gebruik van de man.'

'Je hebt geen poot om op te staan. Een man die jaloers is kan veel kwaad aanrichten en zeker zo'n groot zakenman als jouw man.'

'Hij houdt te veel van mij en zal naar mij luisteren. Ben de Korte gaat er uit en jij blijft gewoon bij ons werken.'

'Hoe zit het dan met zijn jaloezie?'

'Dat gaat vanzelf over.'

'Denkt hij dat jij wat om mij geeft?'

'Ja...' antwoordt Mirjam wat verlegen.
'En is dat terecht?' vraagt Ronny terwijl hij haar hand vasthoudt.
'Ik ben getrouwd...'
'Dat was ik ook, Mirjam. Ze heeft mij in de steek gelaten voor een ander die wat meer verdiende dan ik en ze hield van uitgaan.'
'Wilde ze ook haar kind niet bij zich houden?'
'Nee, ze is er met die vent vandoor gegaan en zit nu ergens in Amerika, daar genieten ze van het leven. Hij heeft daar een groot hotel en weet ik veel wat voor zaken hij nog meer doet.'
'Vraagt ze nooit naar haar kind?'
'Nee...'
'Maar als ze nu toch eens Rudolf bij zich wil hebben?'
'Dan krijgt ze hem niet.'
'Daar zou ik maar niet te veel vertrouwen in hebben.'
'Hij is nu bij mijn zus.'
'Komt hij nooit bij jou?'
'Jawel, in de weekenden en hij gaat met mij op vakantie.'
'Dus je woont alleen?'
'Ja...'
'Waar?'
Ronny geeft geen antwoord en rekent af terwijl hij zijn mobiel pakt en zegt: 'Dat ding zet ik uit en ik nodig je uit om mijn appartement te bekijken.'
Mirjam geeft geen antwoord en stapt bij hem in de auto. Ze rijden naar het appartement van Ronny.

18

'Wat heb je een prachtig appartement!'

'Vind je?'

'Zoiets zou ik ook wel willen.'

'Jullie hebben een prachtig herenhuis met een groot landgoed midden in de bossen. Zullen we ruilen?' lacht Ronny.

'Toch heeft dit iets, vooral omdat je op de bovenste etage woont. Dit prachtige uitzicht over de stad en in de verte zie je de zee en de horizon... Prachtig!' zegt Mirjam die bij het raam staat. Ronny gaat naast haar staan en helpt haar uit haar jas.

'Heb je zin in een kop koffie?'

'Ja, graag. Mag ik even op het terras gaan kijken?'

'Je doet maar, als je maar niet naar beneden springt. Heb je geen hoogtevrees?'

'Nooit iets van gemerkt.'

Mirjam doet de glazen schuifdeur open en loopt over het grote dakterras. Er is een zitje, overal staan grote potten met planten en coniferen en er is ook een soort watervalletje met een pompje en er zwemmen zelfs goudvisjes in. Ronny komt naar buiten met twee kommen koffie.

'Vind je het niet te fris buiten?'

'Dat valt wel mee. Wat een heerlijk dakterras heb je, zeg.'

'Vind je?'

'Ik zou hier graag willen wonen. Dit zou ook iets voor mijn man zijn. Alles is gelijkvloers en er is een lift.'

'Ik wil wel ruilen!'

Ze gaan aan het tafeltje op het terras zitten.

'Heerlijk, zeg, wat een ruim uitzicht! Fantastisch! Heb je hier met je vrouw gewoond?'

'Ja.'

Mirjam ziet dat hij haar ernstig aankijkt en vraagt: 'Praat je liever niet over je vrouw?'

'Nee, liever niet.'
'Kun je haar niet vergeten?'
'Dat is het niet.'
'Waarom ben je dan zo...? Nou ja, je verbergt iets voor me. Heb ik gelijk?'
'Het doet pijn als je van iemand hebt gehouden en ze dan op een zekere dag zegt dat ze een vriend heeft en vertrekt.'
'Wist je dat ze een vriend had?'
'Nee, we waren gelukkig met ons drieën, tenminste, ik dacht dat zij ook gelukkig was, maar ik voldeed niet aan haar levensstijl. Ze hield van uitgaan en veel drinken.'
'Ging je dan niet samen met haar uit?'
'Dat wel. Vaak had ik geen zin, want ik was vertegenwoordiger van een groot bedrijf en was vaak op reis. Ze ging vaak uit en als ik thuis kwam, zat er een oppas bij mijn kind.'
'Dus toen ging ze al uit met die ander?'
'Ja.'
'Kende je hem?'
'Het was mijn beste vriend. Hij kwam vaak bij ons. Ik heb het nooit in de gaten gehad.'
'Wat rot, zeg. Je moet het van je vrienden maar hebben.'
'Heb je het niet koud? Het is hier echt fris,' zegt Ronny die liever niet over het verleden wil praten.
'Je hebt gelijk. Het is nog te fris om buiten te zitten.'
Ze gaan naar binnen.
Mirjam blijft staan en zegt nogmaals: 'Het is eigenlijk niet gek, zo'n appartement.'
'Ben je nooit in een appartement geweest?'
'Vroeger bij mijn vriendin en dat noemden ze een flat. Eigenlijk gek, hè? Wat is nou het verschil tussen een flat en een appartement?'
'Echt uitleggen kan ik het ook niet, maar ik denk dat een flat een ouderwets woord is voor appartement.'

'Zo heb ik het nooit gezien. Ik dacht dat een huurappartement een flat was en een koopflat een appartement.'

'Dat zou ook kunnen.'

'Ik zal maar weer eens opstappen,' zegt Mirjam dan.

'Ga je weer naar kantoor?' vraagt Ronny.

Dan gaat Mirjam zonder antwoord te geven weer zitten en haalt haar schouders onverschillig op. Ronny gaat naast haar op de bank zitten.

'Ik kan je ook naar huis brengen.'

Mirjam kijkt hem van opzij aan en schudt haar hoofd.

'Is er wat, Mirjam?'

Ze laat haar hoofd zakken en snikt: ' Ik weet het niet meer... Waarom moet alles zo lopen?' Ronny legt voorzichtig zijn hand op haar schouder.

'Wil je erover praten, Mirjam?'

'Het is allemaal zo moeilijk...'

'Wat is er dan moeilijk?'

'Ach, laat maar, ik lijk wel niet wijs,' antwoordt Mirjam terwijl ze haar hoofd opricht en met haar zakdoek haar tranen wegveegt.

'Kun je het niet meer aan?'

'Hoe bedoel je?'

'Met je man thuis?' Mirjam geeft geen antwoord.

'Heb je wel echt van hem gehouden?'

'Begin jij nu ook al?'

'Toch heb je het moeilijk, nu je man ernstig ziek is en hij bang is dat je hem in de steek laat. Heb ik gelijk?'

'Soms weet ik het zelf niet meer. We waren in het begin echt verliefd op elkaar. Hij was mijn eerste echte liefde, al was hij twintig jaar ouder.'

'Heb je daarvoor nooit een ander gehad?'

'Dat wel, maar het waren meer gewoon vrienden, niet dat ik er echt verliefd op was.'

'Houd je nog van hem?' vraagt Ronny dan heel direct terwijl hij zijn arm om haar schouder legt.

'Het is moeilijk...' Verder komt Mirjam niet.

Ronny trekt haar naar zich toe en gaat met zijn hand door haar donkere haar.

Mirjam kijkt hem aan. Ze kijkt in die bijzondere, mooie, blauwe ogen die haar ernstig aankijken. Zijn gezicht komt steeds dichter bij haar. Ronny drukt haar nu stevig tegen zich aan en drukt zijn lippen op de hare.

'Je verlangt naar liefde... en ik ook... Ik houd van je, lieve Mirjam...' fluistert Ronny.

'Ja... ik verlang naar liefde, maar het mag niet, het kan niet, Ronny,' zegt Mirjam terwijl ze hem loslaat.

'Waarom niet?'

'Je weet zelf wat het is om in de steek gelaten te worden.'

'Bij jou is dit heel anders. Je hebt een zieke man van wie je niet echt meer houdt. Wees eens eerlijk tegenover jezelf, Mirjam.'

'Maar hij houdt wel van mij... hij kan me niet missen. Ik voel mij zo schuldig...'

'Hij hoeft het toch niet te weten,' zegt Ronny terwijl hij haar opnieuw tegen zich aandrukt en zoent.

'Ik kan het niet...' antwoordt Mirjam terwijl ze opnieuw haar tranen laat gaan.

'Je bent nog jong, Mirjam. Dit leven houd je zo niet lang vol. Hij kan nog wel jaren leven.'

'Ik heb er zelf voor gekozen.'

'Niet dat hij ongeneeslijk ziek zou worden en je niet meer echt van hem houdt.'

'Jawel, ik wist dat hij ongeneeslijk ziek was, maar hield van hem.'

'Was het niet meer uit medelijden en omdat hij een man was die jou aanbad terwijl hij je directeur was? Was het te verleidelijk? Heb je wel echt van hem gehouden, Mirjam?'

'Ja, ik dacht van wel, ik... ik weet het niet. Soms heb ik er spijt van...'

'Waarvan?'

'Dat ik getrouwd ben... Ik had misschien niet zo snel met hem moeten trouwen.'

'Dus ik heb gelijk?'

'Wist ik het maar. Nu hij zo ziek is en we niks aan elkaar hebben en hij zo vreemd doet, weet ik het helemaal niet meer. Hij heeft het moeilijk en kan mij niet missen. Het zou niet goed zijn als ik hem nu in de steek zou laten...' snikt Mirjam.

'Je kunt je toch niet helemaal voor hem opofferen?'

'Toch wel. Ik kan hem toch niet aan de kant zetten?' Ze kijkt Ronny vragend aan.

'Zeg het maar: je hebt je vergist.'

'Ja...'

Mirjam kijkt hem verdrietig aan met natte ogen.

'Mirjam, ik weet wat het is om in de steek gelaten te worden. Er blijft een wond achter, maar zij hield ook niet echt van mij. Zij wilde steeds meer alleen maar genieten van het leven. Ze had niet genoeg aan mij. Ze was geen vrouw om getrouwd te zijn en ook geen moeder voor haar kind. Ik hield echt van haar en ik was haar man en een vader voor ons kind. Zij heeft mijn leven kapot gemaakt en ook dat van mijn zoon. Ik weet hoe jij je voelt en ook je man. Het is niet eerlijk, maar het gebeurt. Ik weet dat jij een eerlijke vrouw bent. Jij bent niet zo'n type als mijn vrouw. Je bent een vrouw die trouw blijft als ze echt van iemand houdt...'

'Maar ik heb echt van hem gehouden...'

'Nu niet meer?'

Mirjam buigt haar hoofd en zegt met een zachte stem: 'Nee, ik denk het niet meer, maar ik moet... Hij kan niet zonder mij... het zal zijn dood zijn. Ik weet het allemaal niet meer.'

'Dat hoeft toch niet?'

'Jawel, hij heeft het moeilijk en is erg jaloers. Als hij weet dat ik hier bij jou ben, dan...'

'Dat zal hij wel weten. Jij hebt Ben de Korte ontslag gegeven. Die zal wel naar je man gaan en hem op de hoogte stellen over ons.'

'Daar heb ik nog niet zo bij stil gestaan. Het lijkt me dan verstandig om naar huis te gaan,' zegt Mirjam terwijl ze opstaat.

Ronny staat ook op, houdt haar bij de arm vast en zegt: 'Zal ik met je meegaan en eerlijk met je man over ons praten?'

'Nee, dat kan hij niet aan.'

'Hoe moet het dan verder met ons?'

'We kunnen elkaar beter niet meer ontmoeten.'

'Maar ik houd van je, Mirjam,' zegt Ronny terwijl hij haar naar zich toetrekt. Ze laat hem los, loopt naar de hal en pakt haar jas en tas.

'Wacht, Mirjam, je kunt niet zomaar gaan...'

'Toch wel.'

Ronny probeert haar vast te houden.

'Nee, Ronny, we moeten ons verstand gebruiken. Het kan gewoon niet.'

'Maar we houden van elkaar, Mirjam.'

'Ik heb mijn man in de kerk trouw beloofd,' antwoordt Mirjam terwijl ze de deur opent en weg wil gaan.

'Wacht, je bent met mijn auto...'

'Ik kan ook een taxi nemen.'

'Nee, ik breng je naar kantoor, daar staat je eigen wagen.'

Ronny trekt snel zijn jas aan en volgt haar naar de lift. Ze rijden terug naar het kantoor.

'Ga je nog even mee naar binnen?'

'Nee, laat ik dat niet doen.'

Mirjam stapt in haar eigen auto en start de motor. Ze rijdt

weg, nagestaard door Ronny Terfont die zich niet lekker voelt, weer in zijn auto stapt en terugrijdt naar zijn huis.

Mirjam stopt op de oprit voor het huis en gaat naar binnen. Ze hangt haar jas op in de hal en loopt de woonkamer in. Theo ligt op zijn bed met een verhoogde ruggensteun zodat hij bijna zit in zijn bed.

Mirjam loopt naar hem toe en vraagt: 'Heb je me gemist?'

Theo knikt alleen maar.

'Wil je nog wat rusten of zal ik vragen of ze je in de rolstoel helpen en we samen wat gaan rijden in het bos?'

'Nee, ik heb het personeel naar huis gestuurd en wil alleen met je zijn.'

'En de verpleegster?'

'Die is ook wat vroeger naar huis.'

'Maar ik kan je niet alleen helpen als je van bed af wil of zo...'

'Ze komt vanavond weer terug.'

'O... Waarom wil je alleen met me zijn?'

Theo gaat rechtop zitten en kijkt haar aan en zegt: 'Ga even zitten.'

Mirjam pakt een stoel, gaat naast zijn bed zitten en voelt dat er iets komt.

'Ben je op kantoor geweest?'

'Ja.'

'Heb je me niks uit te leggen?'

'Wat wil je weten?'

'Hoe is het gegaan op kantoor?'

'Theo, laten we geen verstoppertje spelen.'

'Dat doe ik niet, maar jij wel.'

'Dus Ben de Korte heeft zijn beklag gedaan?'

'Waarom moest je hem ontslaan?'

'Dat weet je heel goed, Theo.'

'Is hij weer te nieuwsgierig geweest?'
'Waarom laat je mij en Ronny Terfont bespioneren?'
'Ik...?'
'Ja, jij. Ik had het snel genoeg in de gaten. Het is gemeen van je...' snikt Mirjam met haar handen voor haar gezicht.
'Mirjam, het is voor je eigen bestwil. Die vent deugt niet.'
'Waarom houd je hem dan in dienst en ontsla je hem niet?'
'Hij is een goede werkkracht, zonder hem loopt het mis. De Korte is niet geschikt om een bedrijf te leiden.'
'Dus dan moet De Korte hem in de gaten houden en heb je een camera en afluisterapparatuur bij Ronny Terfont laten aanleggen en ook nog een zendertje in zijn mobiel gedaan.'
'Dat heeft De Korte bedacht. Hij doet gewoon zijn werk.'
'Noem jij dat gewoon werk?'
'Mirjam, ik houd van je en kan je niet missen... Waarom doe je me zo'n verdriet?'
'Wat heb ik verkeerd gedaan?'
'Je bent bij die vent... die Ronny Terfont. Je bent met hem samen geweest!' schreeuwt Theo dan met grote ogen in zijn hoofd.
'Nee, Theo, zo ben ik niet. Jij en De Korte kunnen dat wel verzinnen.'
'Je bent in zijn flat geweest.'
'Dus hij is ons toch gevolgd?'
'Ja, tot zijn flat.'
'De Korte doet geen half werk. Hij is zijn geld waard,' zegt Mirjam kwaad.
'Ben je met hem naar bed geweest?'
'Hoe dúrf je het te vragen? Jij bent mijn man en ik heb je trouw beloofd.'
'Dat zegt niks, je bent nog jong en verlangt naar een man. Zeg het maar eerlijk.'
'Nee, Theo, zolang ik jouw vrouw ben, blijf ik je trouw.'

'Houdt hij van je?' Mirjam haalt haar schouders op.
'Dus toch...'
'Maar niet wat jij denkt, Theo.'
'Je hoeft voor mij geen geheimen te hebben, Mirjam. Zeg maar eerlijk, je hebt een grote fout gemaakt in je leven.'
'Denk je nou echt dat ik met een man naar bed ga?'
'Nee, dat bedoel ik niet.'
'Waar heb je het dan over?'
'Dat je met mij getrouwd bent, met een oudere, zieke man. Het is ook mijn schuld. Ik had je met rust moeten laten en wijzer moeten zijn. Ik heb geen recht op je,' zegt Theo met tranen in zijn ogen.
'Nee, Theo, ik hield van je en heb echt van je gehouden.'
'Hield... verleden tijd.'
'Nou ja, het is nu moeilijk voor ons beiden, maar toch blijf ik je trouw.'
'Liefde is wat anders, Mirjam. Als je echt van me zou houden, dan zou je niet met een ander gaan. Wees eerlijk.'
'Je moet niet overdrijven, Theo. Als jij van me houdt, dan kun je me ook vertrouwen. Je bent door je ziekte een jaloerse man geworden. Je bent niet meer de man die ik getrouwd heb.'
'Dus is het toch waar?'
'Nee, Theo.'
'Je zegt zelf dat ik niet meer de man ben met wie je getrouwd bent, dus ga je gewoon naar een ander. Zo ligt het toch?'
'Zo ligt het niet, ik ben er voor jou!'
'Wat moest je dan bij die vent in zijn appartement?'
'Hij was wat overstuur.'
'Dus je moest hem troosten,' lacht Theo met een gemaakt lachje.
'Nee, De Korte speelt gemeen spel met hem. Jullie houden

hem op zijn werk alleen om mij in de gaten. Zeg het maar eerlijk.'

'Goed, ik geef het toe. De Korte is een beetje te ver gegaan met jullie.'

'Wist jij daar niks van?'

'Waarvan?'

'Van die camera en die afluisterapparatuur op zijn kantoor en dat zendertje in zijn mobiel?'

'Nee, hij zou alleen maar gesprekken afluisteren en aan me doorgeven als jullie elkaar zouden ontmoeten.'

'Ik zeg toch dat dit mijn bedoeling niet was.'

'Wat wil je nou met De Korte?'

'Jij hebt hem toch ontslag gegeven?'

'Is hij bij jou geweest?'

'Ja.'

'Heeft hij het ook over zijn afluisterapparatuur gehad?'

'Nee.'

'Je liegt, Theo!'

'Nou ja, hij had het over afluisteren, maar niet op welke manier hij dat deed. Wat wil je nu met Ronny Terfont?'

'Hij is naar huis gegaan, zag ik in mijn achteruitkijkspiegel. Toen ik wegreed van kantoor stapte hij weer in zijn auto. Hij voelt zich behoorlijk door jullie beledigd op zo'n gemene manier.'

'Hij moet niet weggaan. Hij levert goed werk. Zijn werk moet doorgaan. De Korte kan geen leiding geven aan ons bedrijf.'

'Wat praat je toch een onzin. Waar maak jij je nog druk om? Je hebt beloofd afstand van de zaak te nemen, maar je bent bang dat je vrouw de zaak draaiende houdt en denkt dat ik dan met elke man in bed kruip. Jaloezie heeft jou goed te pakken, maar wees maar niet bang, ik blijf wel thuis als je schoothondje.'

Theo reageert hierop niet met woorden, maar Mirjam ziet duidelijk dat zijn boze bui nog lang niet over is. Ze geeft hem een zoen op zijn wang en gaat naar haar kamer. Ze zit vol emoties.

19

Het gaat niet zo goed met Theo; hij ligt veel op bed en zit nauwelijks meer in zijn rolstoel. Hij bemoeit zich niet veel meer met de zaak en laat alles over aan Mirjam. Hij is stil en praat alleen maar als het nodig is.

Ronny heeft ontslag genomen. Mirjam werkt nu weer halve dagen alleen op kantoor. Het ontslag van Ben de Korte is ongedaan gemaakt, want hij is onmisbaar voor het bedrijf nu Ronny Terfont er niet meer is. Mirjam werkt vaak met hem samen, ook al heeft ze een hekel aan hem, vooral als hij slijmerig overkomt. Haar antipathie is alleen maar gegroeid nu ze alles weet van zijn afluisterpraktijken, die hij in opdracht van haar man heeft gedaan.

Ze heeft een schuldgevoel tegenover haar man, omdat hij niet alleen lijdt aan zijn ziekte, maar ook aan de jaloezie die ze bij hem heeft opgewekt, door haar omgang met Ronny. Ze heeft voor zichzelf Ronny uit haar hoofd gezet maar niet uit haar hart. Ze denkt vaak aan hem en heeft hem al een paar keer gebeld en als hij dan opnam en ze zijn stem hoorde, verbrak ze de verbinding.

Ook Ronny, die nog geen ander werk heeft, denkt veel aan haar. Toch wil hij het voor Mirjam niet moeilijk maken. Hij weet dat ze weer halve dagen op kantoor werkt. Soms heeft hij het zo moeilijk dat hij naar het kantoor rijdt en voor het gebouw stopt, maar dan toch weer snel wegrijdt.

'Het mag niet, het is niet goed,' zegt zijn geweten. Hij is een christen net als Mirjam en heeft al te veel meegemaakt met zijn eerste vrouw. Hij weet wat het is als je geliefde er met een ander vandoor gaat, hij weet hoeveel pijn dat kan doen. Jaloezie kan pijn doen, het snijdt als een mes door je ziel. Hij mag dat Theo niet aandoen, al verlangt hij erg naar Mirjam.

Zijn zoontje van vijf jaar vraagt vaak naar zijn moeder, want nu Ronny helemaal thuis is, komt het jochie vaak bij hem. Zelfs het kind merkt dat zijn vader anders is dan de vader die hij kende toen zijn moeder er nog was. Mag hij dit dan een ander aandoen en nog wel een man die ernstig ziek is en aan bed gebonden? Hij kan het beste maar gaan verhuizen en een baan zoeken in een andere stad, zodat hij Mirjam niet meer ziet.

Op dat moment gaat de telefoon: 'Met Ronny Terfont.'

'O, bent u het, meneer Verschoot?... Ja, goed, ik kom wel even langs.'

Met zwetende handen legt hij de hoorn terug op het toestel. Wat betekent dit...? Waarom vraagt Verschoot of hij bij hem komt voor een gesprek...? Dat kan alleen zijn... Misschien wil hij praten over het werk en vragen of hij weer terugkomt op de zaak. Het kan ook over Mirjam gaan... Zal hij maar afbellen en zich niet meer met die mensen bemoeien? Het wordt alleen maar erger.

Meneer Verschoot was erg vriendelijk en noemde hem gewoon bij zijn voornaam, alsof er niks is gebeurd. Zal Mirjam ook thuis zijn...? Wat moeten ze van hem? Waarom heeft hij dat niet gevraagd...?

Ronny toetst het nummer van de familie Verschoot in.

'Ja, met Theo Verschoot.'

'Meneer, het lijkt me verstandig dat ik u niet meer ontmoet en uw vrouw ook niet. Ik ga verhuizen en zoek ander werk. Het wordt zo alleen maar erger,' zegt Ronny eerlijk.

'Nee, Ronny, ik wil je onder vier ogen spreken.'

'Waarover?'

'Over ons samen... Geef me die kans.'

'Maar...?'

'Doe het om mij...! Alsjeblieft, Ronny ik wil je persoonlijk spreken...' smeekt Theo.

'Goed, ik kom.'

Ronny verbreekt de verbinding. Deze man heeft het moeilijk, hij heeft hem gesmeekt te komen. Zal het dan toch over Mirjam gaan? Heeft hij verdriet om haar en wil hij daarover praten? Kan hij dit wel aan?

Ronny stapt in zijn auto en rijdt eerst langs het kantoor om te zien of hij de auto van Mirjam op haar parkeerplaats staat. Hij staat er, dus Theo is alleen... Het stelt hem een beetje gerust.

Hij rijdt de brede oprijlaan op. Zijn handen voelen nat aan en onder zijn armen voelt hij het zweet lopen.

Waarom doet hij dit...? Hij kan nog terug. Kan hij deze man wel onder ogen komen? Hij was toch van plan hem zijn vrouw af te nemen die hem nog wat liefde kan geven en dat was verkeerd.

Ronny belt aan. Een verpleegster doet de deur open.

'Komt u binnen. Meneer verwacht u.'

Ronny geeft haar een hand en stelt zich voor.

'Ik ben de verpleegkundige en verzorg meneer Verschoot.'

'Gaat het een beetje met meneer?' vraagt Ronny in de hal terwijl hij zijn jas uitdoet.

'Het is nog hetzelfde met meneer, maar komt u verder,' antwoordt de verpleegster.

Ronny loopt achter haar aan als een kleine jongen die bij de meester moet komen omdat hij iets verkeerds heeft gedaan.

Bij het raam in de grote salon staat een bed met een rolstoel ernaast.

Ronny loopt naar het bed en ziet dat Theo rechtop in bed zit met een steun in zijn rug. Hij geeft hem een hand. Theo wijst hem een stoel en zegt tegen de verpleegster: 'Wil je ons alleen laten?'

'Kan ik eerst koffie brengen?'

'Ja, dat is goed. Breng maar koffie voor meneer Terfont.'

Theo heeft nog geen woord tegen Ronny gezegd. Dan kijkt hij Ronny aan en die slaat zijn ogen neer als hij de ogen van Theo op zich gericht voelt.

'Hoe gaat het met u?' vraagt Ronny voorzichtig, maar dan komt de zuster met de koffie binnen en een speciaal drankje voor Theo.

'Zal ik de kussens wat opschudden, meneer, zodat u wat makkelijker ligt?'

'Ja, ik wil wat meer rechtop zitten.'

'Is het zo goed, meneer?'

'Ja, prima, en denk erom: geen bezoek of telefoon,' zegt Theo tegen haar.

'Goed, meneer.'

Theo kijkt opnieuw Ronny aan en ziet een knappe jongeman tegenover zich zitten.

'Je vroeg hoe het met me gaat?'

'Ja, meneer...'

'Zeg maar gewoon Theo, dat meneer praat zo moeilijk.'

'Zoals u wilt.'

Ronny veegt het zweet van zijn voorhoofd. Hij is een zakenman en is best gewend om met zakenmensen om te gaan, maar deze man ligt daar nu als een gebroken man. Hij heeft ingevallen wangen en ziet er geel uit. Zijn armen en handen zijn ook erg vermagerd. Hij is niet meer de directeur die hij heeft gekend. Toch heeft Ronny het moeilijk. Hij voelt zich schuldig tegenover deze man en dat is heel wat anders dan zaken doen met een gezond zakenman.

'Dus je hebt ontslag genomen bij ons bedrijf?'

'Ja, meneer... eh... Theo.'

'Wat is daar de reden voor geweest?'

'Dat weet u net zo goed als ik,' herstelt Ronny zich nu hij merkt dat deze man op een slimme manier achter de waarheid wil komen en deze het liefst uit zijn mond wil horen.

'Houd je van Mirjam?' vraagt Theo dan op de man af. Nu schrikt Ronny en is even in de war.

'Waar wilt u naartoe, meneer?'

'Theo is mijn naam.'

'Ik praat liever niet over uw vrouw.'

'Toch wel, Ronny. Je bent verliefd op haar. Heb ik gelijk?'

'Daar doe ik geen uitspraak over.'

'Waarom zou je niet eerlijk zijn tegenover een man die geen vrouw meer nodig heeft?'

'U meent niet wat u zegt. U hebt Mirjam nodig en zij u ook. Ik wil me niet met jullie huwelijk bemoeien.'

'Dat heb je al gedaan, Ronny.'

Ronny buigt zijn hoofd en zou het liefst hard weg willen lopen.

'Laten we als twee mannen eerlijk tegenover elkaar zijn. Ik weet dat jij een slecht huwelijk achter de rug hebt, gescheiden bent en een zoontje hebt.'

'Hoe weet u dat?'

'Dat doet er niet toe.'

'Heeft Mirjam u dat verteld?'

'Ja. Heb je van haar gehouden?'

'Van wie?'

'Van je vrouw.'

'Ja.'

'Nu niet meer?'

'Nee, ze heeft me bedrogen. Ik praat er liever niet over.'

'Kun je mij begrijpen?'

'Hoe bedoelt u?'

'Dat het pijn doet als je vrouw...'

Snel veegt Theo een traan weg. Ronny ziet dat zijn ogen nat zijn.

'De wereld kan hard zijn en als zakenmensen weten we dat. Deze ziekte heeft mij geveld en ik ben geen man meer die voor een vrouw nog iets kan betekenen.'

'Ze houdt van u,' antwoordt Ronny die merkt dat deze man onder zijn ziekte lijdt, maar ook onder het verdriet dat hij zijn vrouw niet kan missen.

'Het is mijn eigen schuld, ik hield van haar. Ze was nog jong. Mijn vrouw is te vroeg gestorven. Zelf was ik ook ziek en toch wilde ik Mirjam hebben. Ze hield van mij, we waren samen gelukkig. Toch komt er een einde aan een liefde als er dingen gebeuren die jezelf niet in de hand hebt. Ik ben erg ziek geworden en mijn hele onderlichaam is verlamd. Je weet zelf hoe moeilijk het is om afstand te doen van je vrouw, als ze van een ander houdt.'

'Dat hoeft toch niet? Bij mij was het iets anders...'

'Nee, Ronny. Je moet eerlijk zijn tegen een man die niet lang meer te leven heeft. Mirjam heeft medelijden met mij, maar ze houdt van jou. Ik speel geen spel onder tafel. Ik leg alles eerlijk op tafel, jongen.'

'Maar ik ga weg uit de stad en zoek ander werk. Ik heb haar al een tijdje niet meer gezien.'

'Dat is eerlijk van je, jongen. Toch heb je haar lief en een man geeft zijn liefde niet zomaar weg. Begrijp je wat ik bedoel?'

'Nee...'

'Dat ik niet anders kan dan haar aan jou toevertrouwen. Zij houdt van je en jij van haar, al willen jullie dat alle twee niet bekennen. Het is nu eenmaal zo gelopen. Jij bent de juiste man voor haar en ook een goed zakenman om mijn zaak over te nemen en jullie hebben al een opvolger. Je hebt een zoon.'

Het zweet breekt Ronny nu helemaal aan alle kanten uit en hij buigt zijn hoofd. Hij weet niet wat hij met deze man aan moet... Spreekt hij de waarheid of wil hij hem ertussen nemen door zijn grote jaloezie en daar zijn vrouw mee afstraffen?

'Zou je een moord voor haar doen, Ronny?'

Ronny kijkt hem aan, hevig geschrokken door het woord moord.

'Hoe bedoelt u...?'

'Zou jij een moord willen doen om haar te bezitten?'

'U weet niet wat u zegt. U gaat te ver en ik kan nu beter gaan,' zegt Ronny terwijl hij wil opstaan.

'Blijf zitten. Ik begrijp heel goed dat je me niet begrijpt.'

'U weet niet wat u zegt...'

Theo haalt uit zijn kastje een potje met pillen.

'Zou jij die pillen in dit glas water willen doen?'

'Nee, u weet niet waar u mee bezig bent... Dit mag u niet doen... U kunt misschien nog lang leven samen met Mirjam... U zult van mij echt geen last meer hebben, dat beloof ik u...'

'Toch zou het de oplossing zijn voor ons beiden...'

'Hoe bedoelt u?'

'Als jij die pillen in mijn glas water doet, zal ik het leegdrinken en sterf ik in vrede. Dan heb jij Mirjam en zijn jullie gelukkig.'

'Maar u meent het niet... Zoiets kunt u toch niet van mij verwachten? U mag geen zelfmoord plegen...'

'We kunnen het toch samen doen? Jij doet ze in het glas en ik drink het leeg...'

'Nooit... nooit begrijpt u! Nooit!' valt Ronny uit terwijl hij opstaat en zegt: 'Ik zal die verpleegster roepen. U gaat te ver!'

'Rustig, jongen. Ga zitten...'

'Nee, u wilt me dwingen tot een moord, omdat u het zelf niet durft...'

'Nee, Ronny, ik heb je alleen maar op de proef gesteld. Ik ken genoeg mensen die het graag zouden doen en dan niet eens om mijn vrouw. Als ze alles van mij zouden erven zoals jij, dan zouden ze hier in de rij staan.'

'Daar geloof ik niet in. U bent wat in de war en kunt beter Mirjam thuis laten en niet meer naar kantoor laten gaan. U kunt niet meer alleen zijn zonder Mirjam. U zult een einde aan uw leven maken,' zegt Ronny terwijl hij Theo verdrietig aankijkt.

'Ik wilde je alleen maar op de proef stellen...'

'Dat mag u niet op deze manier doen.'

'Dat maak ik zelf wel uit.'

'U bent te ver gegaan en ik zal Mirjam erover inlichten.'

'Maar, jongen, denk je nou echt dat ik het meende en jou die pillen zou hebben gegeven?'

'Daar lijkt het anders veel op.'

'Nee, Ronny, jij bent daar te eerlijk voor... Ik wilde je beter leren kennen. Je bent toch een belijdend christen, net als Mirjam?'

'Ja...'

'Daarom moet jij weten dat ik zoiets niet zou doen.'

'Maar u bent toch ook een gelovige?'

'Ja, ik geloof in een God die mij geschapen heeft en dat ik dus Zijn eigendom ben en daarom kan ik mezelf niet iets aandoen.'

'Waarom dan dit...? U wilde me op de proef stellen. Waarom?'

'Mirjam is goed voor me geweest. Ze hield van me, al was ik ouder en ziek.'

'Wist ze toen jullie trouwden al dat u een ongeneeslijke ziekte had?'

'Ja, maar het was toen nog niet in zo'n verre staat en ik heb nooit gedacht dat ik zo'n lijdensweg zou moeten gaan...'

'U kunt Mirjam beter thuis houden. U piekert te veel.'

'Heb jij daar ook last van?' vraagt Theo terwijl hij hem ernstig aankijkt.

'Waarom zou ik...?'

'Pieker je nooit over je vrouw die je is ontnomen?'

'Nee, nu niet meer. In het begin wel. Het slijt. Alleen doet het pijn dat ze mijn zoontje in de steek heeft gelaten. De jongen vraagt zo vaak naar zijn moeder en dat doet pijn.'

'Mirjam zou een goede moeder voor je zoon en een goede vrouw voor jou zijn, dat weet ik zeker.'

'U mag zo niet praten.'

'Toch wel, Ronny. Mag ik je een gunst vragen?'

'Dat hangt er vanaf.'

'Als ik er niet meer ben, en dat zal zo lang niet meer duren volgens de arts, wil je dan terugkomen in ons bedrijf?'

'Als u dat per se wilt...'

'Dat zal ik zeer op prijs stellen. Wil je dan ook goed voor Mirjam zorgen...? Ze zal het erg moeilijk hebben, al ben ik de laatste tijd geen man meer voor haar.'

'Dat zal ik zeker doen,' antwoordt Ronny verlegen.

'Als zij met je wil trouwen, je vrouw wil zijn, zul je dat dan doen?'

'U stelt me vragen die ik niet kan beantwoorden.'

'Toch wel. Je hebt me net beloofd dat je terug zult komen in de zaak en ook dat je voor Mirjam zult zorgen.'

'Dat is wat anders dan dat ze van mij zal gaan houden... Ze houdt nog steeds van u en ze zal zeker van u blijven houden, al bent u ziek.'

'Toch gun ik haar een goede man, als ik er niet meer ben. Begrijp je wat ik bedoel?'

'U bent wat in de war. Als u er niet meer bent, zal Mirjam zelf haar leven moeten invullen.'

'Dat zal ze zeker doen en ik hoop dat jij haar daarbij wilt ondersteunen.'

'Dat kan ik niet beloven. Mirjam zal zelf verder moeten en daar heeft ze mij, denk ik, niet bij nodig...'

'Goed, Ronny. Dit gesprek blijft onder ons. Mirjam hoeft niet te weten dat je hier bent geweest. Praat er met niemand over zolang ik leef. Kun je me dat beloven?'

'Die verpleegster heeft me binnengelaten. Zij kan het toch aan Mirjam vertellen?'

'Nee, dat heb ik haar verboden.'

Theo steekt zijn hand uit. Ronny staat op en geeft hem een hand.

'Zorg goed voor jezelf, jongen, en doe je zoontje de groeten van zijn opa Theo. Wil je dat doen?'

Ronny kijkt hem vreemd aan en antwoordt: 'Goed, meneer, ik zal het doen en ik wens u nog veel sterkte...'

Ronny draait zich om, loopt naar de hal, stapt snel in zijn auto en rijdt naar huis. Als hij thuis is, lijkt alles een droom. Moet hij Mirjam inlichten en haar alles vertellen...? Nee, want hij heeft een belofte gedaan aan haar man...

20

Mirjam stapt in haar auto en rijdt naar huis. Ze heeft een fijne middag achter de rug. Ze heeft een paar zaken afgehandeld samen met Ben de Korte. Het is eigenlijk jammer dat ze niet de hele dag kan werken en alleen maar 's middags. Er is genoeg werk voor haar, nu Ronny er niet meer is. Hoe zal het met hem zijn? Het is eigenlijk allemaal haar schuld. Ze is een getrouwde vrouw en had het niet zover moeten laten komen. Jammer dat Theo hem zo heeft behandeld door hem door De Korte te laten bespioneren.

Als ze nu eens naar hem toe gaat en vraagt of hij terug wil komen. Theo zal het niet erg vinden. Of wel...? Hij is erg jaloers en verdenkt haar daadwerkelijk van overspel. Toch is het dom van haar. Ze had wijzer moeten zijn. Ze heeft Theo verdriet gedaan en Ronny is daar de dupe van geworden... Hij houdt van haar en zij ook van hem. Het is gewoon niet anders, moet ze zichzelf bekennen. Waarom wil ze nu naar hem toe? Is het echt omdat ze medelijden met hem heeft of verlangt ze naar hem?

Het is ook niet netjes van haar dat ze als directielid niks van zich heeft laten horen. Hij heeft ontslag genomen om haar en omdat hij op een gemene manier is behandeld door haar man en Ben de Korte.

Ze rijdt de stad uit, stopt voor het grote appartement, gaat met de lift naar de bovenste etage en loopt naar de deur van Ronny's appartement.

Als ze voor de deur staat wordt ze onzeker. Zal ze het wel doen? Ze kan nog terug. Als vanzelf gaat haar vinger naar het knopje van de bel en even later hoort ze wat gerommel achter de deur, dan gaat de deur open en staat ze oog in oog met Ronny die haar verbaasd aankijkt.

'Wat kom je doen...?' vraagt Ronny met een nerveuze stem.

'Ik ben toch nog wel welkom, of heb je liever dat ik weer ga?' vraagt Mirjam verlegen.

'Nee, kom binnen. Ik had je hier niet meer verwacht.'

Ronny doet de deur verder open en laat haar voorgaan. In de hal neemt hij haar jas aan en gaat haar dan voor naar de woonkamer.

'Je zult wel denken waarom ik zo onverwachts bij je kom. Je moet er niks verkeerds achter zoeken, Ronny...'

'Waarom zou ik...?'

'Nou ja... Ik dacht: Laat ik even bij hem aangaan. Je hebt bij ons ontslag genomen en wij laten niks meer van ons horen.'

'Wil je niet gaan zitten?'

'O, ja.'

Mirjam gaat zitten en merkt dat Ronny erg nerveus is en het lijkt erop dat hij haar liever niet ontmoet.

'Als je liever hebt dat ik weer ga, dan moet je het eerlijk zeggen.'

'Nee, Mirjam.'

'Is er wat met je...? Je bent zo anders?'

'Nee...'

'Je doet zo afstandelijk.'

'Nou ja, je weet dat je man het liever niet heeft.'

'Je moet het niet zo zien. Ik kom gewoon voor ons bedrijf. Je werkt al een tijdje niet meer bij ons. Dat is jammer en het is eigenlijk mijn schuld. Ik ben de vrouw van de directeur en heb mijn man jaloers gemaakt, doordat ik met je mee ben gegaan naar het strand en een tijdje geleden naar hier. Ik had dat niet moeten doen en wijzer moeten zijn.'

Ronny gaat voor haar staan en vraagt: 'Vind je het dan verstandig dat je nu weer hier bent?'

'Je moet het niet verkeerd opvatten, Ronny.'

'Zeg dan eerlijk waarvoor je komt,' antwoordt Ronny kort.

'Je hebt al een paar jaar voor ons gewerkt en niemand heeft

gereageerd op je ontslag en ik voel me daar schuldig onder.'

'Je had toch ook iemand anders kunnen sturen? Wie weet staat De Korte hier weer achter de deur.'

'Nee, Ronny, dat gebeurt niet meer. Mijn man heeft er spijt van en ik ook.'

'Waar heb jij spijt van?'

'Dat ik jou... nou ja... je weet wat ik bedoel.'

'Omdat je van mij houdt?' zegt Ronny terwijl hij haar aankijkt.

Mirjam krijgt een rood hoofd en staat op.

'Ik wil je niet beledigen, Mirjam, dat weet je heel goed. Zeg eerlijk waarom je hier bent en draai er niet omheen of was weggebleven. Je maakt het voor ons alle twee alleen maar moeilijker.'

'Als je er zo over denkt kan ik beter gaan,' antwoordt Mirjam terwijl ze naar de hal wil lopen.

Ronny pakt haar bij de arm, trekt haar naar zich toe, drukt haar tegen zich aan en zoent haar. Ze wil in het begin tegenstribbelen, maar als ze in zijn lichtblauwe ogen kijkt, zoent ze hem ook en geeft ze zich er volledig aan over.

'Mirjam, ik weet dat het niet kan, maar ik verlang zo naar je...'

'Ik ook naar jou, lieverd...'

Zo staan ze daar een tijdje. Ze gaan in hun liefdesspel op totdat het vuur begint te ontbranden in hun beiden. Mirjam laat zich op de bank vallen en Ronny gaat op zijn knieën voor de bank zitten en zoent haar hevig. Hij trekt haar van de bank en neemt haar in zijn armen op de vloer, op het dikke tapijt. Ze gaan beiden op in hun liefdesvuur. Als ze alletwee hun liefde voor elkaar bevestigd voelen, dan neemt Ronny haar in zijn armen en fluistert hij lieve woorden. Als ze weer gaan staan, trekt Mirjam haar kleren recht en Ronny laat haar los en zonder wat te zeggen gaan ze naast elkaar op de bank zitten.

Ronny pakt opnieuw haar hand, trekt haar naar zich toe en kijkt in haar donkerbruine ogen en fluistert: 'Ik laat je nooit meer gaan... Ik houd zoveel van je, Mirjam.'
Mirjam is wat nuchterder geworden en kijkt hem aan en dan ziet Ronny dat er tranen in haar ogen staan.
'Lieverd, wat is er?'
'Het kan niet, Ronny...'
'Dat is te laat, lieverd. We houden van elkaar, Mirjam.'
'Toch mag het niet...'
'Daar ben je nu te laat mee. Ik laat je niet meer gaan.'
'Maar dat kan toch niet, Ronny...!'
'Waarom niet?'
'Ik ben getrouwd...! Mijn man...?'
'Houd je nog van hem?'
Mirjam schudt haar hoofd.
Ronny neemt haar hoofd in beide handen, zoent haar tranen weg en kust haar opnieuw.
'Mirjam, je mag me nu niet in de steek laten...'
'Maar Theo dan...?'
'Die heeft hulp genoeg. Hij wordt goed verzorgd.'
'Maar hij...'
'Je hoort bij mij, Mirjam, en je houdt van mij.'
'Maar hoe moet het dan verder...? Ik kan hem toch zomaar niet in de steek laten...?'
'En mij dan wel?'
'Ronny, ik houd van je, maar het is een verboden liefde... Ik had niet naar je toe moeten komen...'
'Dus je wilt zeggen dat je er spijt van hebt?'
'Ja, nee, ach het is zo moeilijk... Je weet zelf hoe je je voelde, toen je vrouw met een ander ging...'
'Ik wil niks over mijn vrouw horen,' antwoordt Ronny terwijl hij haar opnieuw zoent.
Mirjam rukt zich los en gaat staan.

'Wat is er?'

'Het mag niet, Ronny.'

Ronny gaat ook staan, pakt haar bij beide schouders en zegt: 'Het móet...! Je hoort bij mij!'

'Nee, Ronny, ik ben getrouwd met Theo en heb in de kerk een belofte afgelegd. Theo hoeft hier niks van te weten. Laten we het geheim houden totdat hij...'

'Totdat hij gestorven is, bedoel je?'

'Ja, ik wil hem geen pijn doen.'

'Dus het is voor jou een soort avontuur... Je gaat gewoon terug naar je man en als je een man nodig hebt dan kom je naar mij,' zegt Ronny wat fel.

'Je gaat te ver, Ronny.'

'Nee, je zult een besluit moeten nemen...'

'Zeker net zoals je vrouw... Zij koos voor die ander en maakte jouw leven en dat van je zoontje kapot.'

'Ik wil jou niet meer over mijn vrouw horen. Zij heeft gekozen voor een ander en heeft me ook eerlijk verteld dat ze van een ander hield. Ze heeft het toegegeven, maar jij doet het achter de rug van je man en dat is niet eerlijk tegenover je man en ook niet tegenover mij. Wees eerlijk: hou je van me, of had je mij alleen nodig voor even?'

'Je weet niet wat je zegt... Ik zal het Theo eerlijk zeggen en dan hoor ik wel hoe hij erover denkt,' antwoordt Mirjam dan verdrietig.

'Ben je bang dat je niet alles van hem op je naam krijgt als hij er niet meer is?'

'Hoe bedoel je dat?'

'Dat je niet alles erft als hij voor zijn dood nog van je wil scheiden.'

'Daar heb ik nooit bij stilgestaan. Het gaat me niet om zijn geld en goederen, als je dat soms denkt.'

'Het lijkt er anders wel veel op.'

'Zo mag je niet denken.'
'Vind je het gek? Als hij sterft is alles van jou.'
'Daar gaat het niet om. Ik ben met niks met hem getrouwd en ik zit niet op zijn geld te wachten.'
'Wat wil je dan?'
'Ik ga naar huis en vertel hem eerlijk dat ik van je houd en dan zie ik wel...'
'Dat hoeft niet, Mirjam.'
'Waarom niet?'
'Hij weet dat je van mij houdt en ik van jou...'
'Hoe kun jij dat weten?'
'Hij heeft het me persoonlijk gevraagd.'
Mirjam kijkt Ronny vol ongeloof aan en het lijkt alsof ze flauw zal vallen. Ze gaat zitten en zegt: 'Heeft hij je gebeld of is dit weer een streek van Ben de Korte...?'
'Nee, luister...' zegt Ronny terwijl hij naast haar gaat zitten.
'Ik luister...'
'Hij heeft me gebeld of ik naar hem toe wilde komen voor een gesprek.'
'Heb je dat gedaan...? Je bent toch niet naar hem toe gegaan?'
'Dat heb ik wel gedaan. Ik dacht dat hij over het werk wilde praten en over mijn baan of dat hij mij een baan wilde geven op een van zijn nevenbedrijven, zodat ik jou niet meer zou ontmoeten.'
'Maar je hebt sontslag genomen?'
'Dat wist hij wel, maar het was hem ergens anders om te doen...'
'Waarom dan?'
'Hij heeft me uitgehoord over de zaak en jou en heeft me toen op de man af gevraagd of ik van je hou...'
'Wat heb je gezegd?'
'Ik ben eerlijk geweest. Hij wist van mijn vrouw en mijn

zoon. Eigenlijk hoefde ik hem niks meer te vertellen. Hij wilde het uit mijn mond horen. Hij wil zelfs dat ik de leiding weer overneem op kantoor...'

'Echt waar...?' zegt Mirjam verbaasd.

'Waren de huishoudster en haar man er niet?'

'Nee, alleen zijn verpleegster was er.'

'Dus dat heeft hij weer allemaal achter mijn rug geregeld.'

'Het ergste komt nog. Hij haalde een potje met pillen uit zijn kastje en wilde dat aan mij geven.'

'Hij gaf jou een potje met pillen...? Begrijp ik iets niet?'

'Hij vroeg me of ik een moord voor jou over had...'

'Jij een moord...? Heeft hij dat echt gevraagd?'

'Ja, ik ben vreselijk geschrokken.'

'Maar wat bedoelde hij er precies mee?'

'Hij had een glas water in zijn hand en vroeg mij of ik die pillen uit dat potje in zijn glas wilde doen, dan zou hij het leeg drinken.'

'Hij is gek...! Is dit echt waar...?'

'Ja, ik vond het ook allemaal vreselijk en heb hem gevraagd waarom hij dit deed en mij er voor gebruikte.'

'Wat antwoordde hij?'

'Dat ik hem moest helpen een einde aan zijn leven te maken... Hij wilde dat ik eraan mee zou werken...'

'Stel je voor dat je het gedaan had... Hij is gewoon niet meer goed bij zijn hoofd.'

'Ik weet het niet... Hij wilde me uitproberen.'

'Waarom?'

'Als ik die pillen in dat glas had gedaan, had hij het bewijs dat ik wilde helpen hem te doden, zodat ik met jou verder kon en wij alles zouden erven. Hij dacht dat ik niet alleen jou wilde hebben, maar ook zijn rijkdom. Hij heeft me op de proef gesteld...'

'En als hij dan die pillen had ingenomen?'

'Dan was hij er niet meer geweest...'
'Vreselijk! Hoe kon hij jou dit aandoen...?'
'Als ik het gedaan had en hij dat glas had leeggedronken, heb ik later bedacht, en er zou een onderzoek zijn gekomen, dan zou ik de moordenaar van je man zijn geweest.'
'Hij wilde het toch zelf?'
'Als ze naar vingerafdrukken zouden zoeken op dat potje met pillen, dan zou ik de klos zijn geweest, zeker weten... Ik wist echt niet wat hij van plan was...'
'Heb je dat potje met pillen in je hand gehad?'
'Nee, dat heeft hij vastgehouden,' antwoordt Ronny.
Mirjam houdt haar handen voor haar gezicht en zucht: 'Wat wilde hij hiermee bereiken? Zou hij het echt gedaan hebben...?'
'Ik weet het niet.'
'Wat een vreselijke gedachte.'
'Het kan ook zijn dat hij levensmoe is en om hulp wilde vragen.'
'Hoe bedoel je dat?'
'Dat hij het alleen niet durfde.'
'Het zou kunnen... Hij heeft wel eens tegen mij gezegd dat hij er beter niet meer kon zijn. Hij heeft het moeilijk... en nou moet ik hem van ons gaan vertellen...'
'Dat zal hij niet aankunnen.'
'Wat wil je dan dat ik doe?'
'Gewoon bij mij blijven.'
'Dat kan toch niet...?'
'Zal ik naar hem toe gaan en met hem praten?'
'Nee, Ronny, ik ga gewoon naar huis en vraag hem eerst om opheldering.'
'Waarvan?'
'Dat hij achter mijn rug jou laat komen en zulke rare dingen doet...'

'Er is nog iets, Mirjam: ik mag hier met niemand over praten en zeker niet met jou. Pas als hij er niet meer is, mag ik het jou vertellen.'

'Waarom doet hij zo vreemd...? Hij maakt het zichzelf alleen maar moeilijk.'

'Ik heb hem ook moeten beloven dat ik terugga naar jullie bedrijf en dat ik goed voor jou zal zijn.'

'Meen je dat echt...? Heeft hij dat gezegd?'

'Voor mij was het ook allemaal vreemd en ik heb er moeite mee, vooral dat ik er met jou niet over mag praten.'

'Maar waren jullie alleen?'

'Ja, die verpleegster was er in het begin wel.'

'Heeft zij dan alles kunnen horen?'

'Ze heeft ons eerst koffie gebracht en mocht ons voorlopig niet storen.'

'Maar ze kan me toch vertellen dat jij bent geweest?'

'Dat mag ze niet.'

'Heeft hij dat tegen haar gezegd?'

'Dat heeft hij me verteld.'

'Het lijkt me verstandig dat ik eens met hem ga praten,' zegt Mirjam opgewonden.

'Dat kun je niet doen.'

'Waarom niet...? Het is allemaal toch te gek. Ik wil weten wat hem bezielde!'

'Mirjam...' Ronny trekt Mirjam naar zich toe, kijkt haar recht in de ogen en gaat met zijn handen door haar lange, donkere haar en fluistert: 'Je bent voor mij belangrijker dan al dat gedoe. Laat je man met rust, hij zal het aanvaarden.'

'Wat zal hij aanvaarden?'

'Dat wij van elkaar houden. Hij begrijpt het. Hij heeft het zelfs over jou gehad.'

'Wat heeft hij dan over mij gezegd?'

'Dat je te snel met hem getrouwd bent en dat het allemaal

zijn schuld is, dat je van een ander zal houden. Hij was zoveel ouder en toen al ziek.'

'Toch hield ik echt van hem. Ik ben niet om zijn geld met hem getrouwd en ook niet omdat hij mijn directeur was. De meesten op ons bedrijf dachten dat ik daarom met hem trouwde.'

'Oké, ik geloof je, maar het gaat nu om ons, Mirjam.'

'Laat me eerst met mijn man praten.'

'Je kunt hem niet vertellen dat je bij mij bent geweest en ik je alles heb verteld. Ik heb hem beloofd er niet over te praten.'

'Je hebt het mij verteld... Nu staan wij er anders voor. Ik houd van jou en wil eerlijk tegenover hem zijn. Ik vind het erg dat ik hem pijn moet doen, al weet hij van onze liefde, en zeker nu ik weet dat hij jou heeft laten komen en met je heeft gesproken over ons. Alleen dat verschrikkelijke met die pillen en dat hij jou daarbij om hulp heeft gevraagd...!'

'Later heeft hij me verteld dat hij mij op de proef wilde stellen. Hij geeft me gevraagd of ik goed voor je wil zijn, als hij er niet meer is. Hij vindt je een goede vrouw voor mij en een goede moeder voor mijn zoon. Hij heeft het zelfs over een opvolger gehad, toen hij over Rudolf sprak. Ik moest mijn zoontje de groeten doen van zijn opa Theo...! Ik dacht dat ik droomde, het leek allemaal zo onwerkelijk... en dan denk ik weer: Als ik dat potje wel had aangepakt, wat zou er dan gebeurd zijn? Zou het toch zijn bedoeling geweest zijn mij in de gevangenis te krijgen?'

'Dus hij vindt mij een goede vrouw voor jou en een goede moeder voor je zoon en hij noemt zichzelf al de opa van je zoon... Het is te gek... hij is ergens mee bezig... Ik weet het niet meer nu ik dit hoor. Het blijft voor mij een raadsel waar hij heen wil met ons,' zegt Mirjam.

'Raadsels zijn er om opgelost te worden,' zegt Ronny.

'Dat ben ik ook van plan,' zegt Mirjam terwijl ze naar de hal loopt en haar jas aantrekt.

'Zal ik met je meegaan?'

'Nee ik wil eerst alleen met hem praten...'

'Oké, laat zo snel mogelijk iets van je horen en als het uit de hand loopt, bel me dan of kom hierheen... Beloof je me dat?' zegt Ronny terwijl hij haar een zoen geeft.

21

Als Mirjam onderweg naar huis is in haar auto, gaat haar mobiele telefoon. Ze stopt langs de weg op een parkeerstrook.

'Met Mirjam Verschoot.'

'Komt u zo snel mogelijk naar huis...'

'Waarom...? Wat is er?'

'Uw man... Het is zeer ernstig,' zegt de verpleegster die voor Theo zorgt.

'Ik ben onderweg.'

Mirjam drukt het mobieltje uit en rijdt de weg weer op.

Wat zal er gebeurd zijn...? Misschien is hij gevallen of zo, of zou hij toch...? Nee, zo is hij niet.

Ze stopt voor het huis en ziet dat er een vreemde auto voor de oprit staat. Ze rent naar binnen en gaat met haar jas nog aan de kamer in. Ze ziet een arts bij Theo zitten en de verpleegster.

'Wat is er met mijn man?' vraagt Mirjam geschrokken.

De arts kijkt haar aan, schudt zijn hoofd en zegt: 'Het is te laat...'

'Wat is er te laat?' vraagt Mirjam als ze Theo half zittend op zijn bed ziet liggen.

'Hij is helaas overleden. Het heeft geen zin meer om een ambulance te laten komen.'

'Maar...' Mirjam loopt naar het bed en pakt Theo zijn hand die slap aanvoelt.

'Theo...! Theo, wat heb je gedaan...? Waarom?' snikt Mirjam als ze het lege potje van de medicijnen ziet staan.

'Dus u weet ervan?' vraagt de arts terwijl hij Mirjam aankijkt.

'Ja...'

'Heeft hij het u verteld?'

'Nee...'

'Heeft de verpleegkundige het u verteld toen ze u belde?'

'Nee, dat niet...' De verpleegkundige kijkt Mirjam ook vragend aan.

'Theo, waarom...?' snikt Mirjam overstuur.

De verpleegkundige pakt haar bij de arm en laat haar op een stoel zitten.

De arts vraagt: 'Wat is hier vanmiddag gebeurd? Ik moet een rapport opmaken in verband met de dood van uw man. De doodsoorzaak is mij bekend als ik dit potje bekijk.'

'Moet hij dan niet onderzocht worden?' vraagt Mirjam.

'Daar zijn andere mensen voor. Heeft hij u verteld dat hij een overdosis zou innemen?' vraagt de arts.

'Mij niet...' snikt Mirjam.

'Maar u had wel het vermoeden... Heb ik het goed?'

Mirjam geeft geen antwoord.

De arts kijkt de verpleegkundige aan en vraagt: 'Heeft u meneer Verschoot lang alleen gelaten, want het is al een tijdje geleden dat hij die overdosis heeft ingenomen.'

'Dat klopt ja... Meneer kreeg eerst bezoek en toen die meneer weg was moest ik hem voorlopig met rust laten tot zijn vrouw thuis zou komen. Hij wilde zolang rusten. Ik heb een paar keer om de hoek van de deur gekeken en zag dat hij rustig sliep. Toen mevrouw nog steeds niet thuiskwam ben ik toch naar hem toegegaan en vroeg of hij al wilde eten.'

'Leefde hij toen nog?'

'Dat weet ik niet... Ik dacht dat hij nog steeds sliep en durfde hem niet wakker te maken. Later ben ik weer gaan kijken, want mevrouw was erg laat en toen lag hij er zo vreemd bij. Toen heb ik voorzichtig zijn hand gepakt en merkte ik dat hij bijna geen pols meer had.'

'Heeft hij niets meer gezegd?' vraagt de arts.

'Nee, hij was al buiten kennis, denk ik. Ik kon zijn pols bijna niet meer voelen.'

Dan kijkt de arts Mirjam aan die steeds opnieuw tranen wegveegt.

'Dus u was later dan anders thuis?'

'Ja...'

'Wist uw man dat u later thuis zou komen?'

'Nee...'

'Ik ga hier niet voor politie spelen, maar wist u dat er iemand bij uw man op bezoek zou komen?'

Mirjam schudt haar hoofd.

'Toch moet er een onderzoek komen via de politie. Niet dat ik iemand verdenk, maar het lijkt me verstandig.'

Mirjam knikt dat ze het goed vindt.

De arts belt naar het politiebureau. Even later komt er een politieman in burger die hen allemaal een hand geeft. De arts legt alles uit en geeft ook zijn mening over de vermoedelijke doodsoorzaak.

Mirjam zit nog steeds in haar stoel met haar hoofd tussen haar handen. De verpleegkundige houdt haar in de gaten. Als Mirjam op wil staan, zakt ze in elkaar. De verpleegkundige kan haar net op tijd opvangen en legt haar samen met behulp van de arts op de bank. Ze maken haar polsen nat met een washandje.

Als ze bijkomt en die vreemde man ziet die wat op Ronny lijkt, zegt ze: 'Heb je het toch gedaan...? Heb je hem vermoord?'

Met grote ogen kijkt ze de man aan.

De politieman gaat op een stoel bij haar zitten en vraagt: 'Wie heeft uw man vermoord?'

Nu ze weer een beetje bij haar positieven is antwoordt ze: 'Nee, nee ik weet het niet...'

Ze is erg in de war. Ze staat op en loopt naar het bed van Theo. Ze ziet dat Theo er rustig bij ligt. Ze snikt opnieuw: 'Waarom heb je dit gedaan...? Het hoefde toch niet...? Theo, waarom...? Ik houd toch wel van je, maar ik...'

Verder komt ze niet. Ze krijgt opnieuw een flauwte. Ze vangen haar op en leggen haar opnieuw op de bank.

De politieman schrijft wat algemene dingen op en spreekt met de arts en de verpleegkundige af dat er voorlopig niemand aan de spullen van meneer Verschoot mag komen. Hij zal mannen van het politielab sturen en die zullen verder onderzoek doen, als het nodig is.

'Dan kan ik daarna zelf officieel de doodsoorzaak vaststellen. Het lijkt mij veel op zelfdoding. Een overdosis ingenomen lijkt me,' zegt de arts tegen de politieman.

'Kent u de man die hier nog voor zijn dood is geweest?'

'Hij heeft volgens mij op kantoor bij meneer Verschoot gewerkt,' antwoordt de verpleegkundige.

'Is u toen niks opgevallen?'

'Nee, ik mocht alleen een keer koffie brengen en mocht hen verder niet storen, maar dat gebeurde wel eens vaker als meneer een zakelijk gesprek had.'

'Juist,' zegt de politieman.

'Verder weet ik het ook niet. Hij lag zo rustig te slapen toen die man weg was. Ik heb toch al gezegd dat hij met eten wilde wachten tot zijn vrouw thuis was?' zegt de verpleegkundige wat overstuur.

Mirjam is ondertussen weer wat bijgekomen en gaat zitten.

De arts vraagt aan haar: 'Zal ik u een kalmerend medicijn geven?'

Mirjam schudt haar hoofd.

'Dan ga ik maar, u heeft mij niet meer nodig, neem ik aan,' vraagt de arts.

De rechercheur blijft achter met de verpleegkundige en Mirjam.

Dan komt er een auto voorrijden. Er komen een paar mannen binnen die het lichaam van Theo meenemen naar een speciale afdeling in het ziekenhuis om onderzoek te doen naar de oorzaak van zijn dood.

Dan komen er nog twee mannen die van alles in plastic zakjes doen en ook het potje waar de medicijnen in hebben gezeten. Ze nemen ook het kopje mee, waaruit Theo koffie heeft gedronken.

De rechercheur vraagt of er nog meer mensen op bezoek zijn geweest.

Mirjam die alles over zich heen laat gaan en op de bank voor zich uit zit te staren, geeft nergens antwoord op. Ook vraagt de rechercheur of ze de man kent die haar man heeft bezocht.

'Dus het is iemand van de zaak?' vraagt de rechercheur van politie.

De verpleegkundige knikt.

'Maar, mevrouw, dan moet u hem toch kennen?'

Ze kijkt de man vragend aan en zegt: 'Wat wilt u daarmee zeggen?'

'Wij willen weten wie die man is, het is voor u en voor ons van belang.'

'Waarom zou ik daar belang bij hebben?'

'U moet begrijpen dat we niet per se een moordenaar zoeken. Toch kan iemand ons en u vertellen waarom uw man dit gedaan kan hebben.'

'Dus u verdenkt hem er niet van?'

De rechercheur merkt dat Mirjam iets achterhoudt dat belangrijk kan zijn.

'Weet u het wel?'

'Het is allemaal zo moeilijk,' antwoordt Mirjam die zich erg schuldig voelt nu ze terugdenkt aan wat er deze middag tussen haar en Ronny is gebeurd. Terwijl haar man hier lag te sterven door een overdosis medicijnen was zij bij een ander.

'Wilt u het ons vertellen?' vraagt de rechercheur terwijl hij recht tegenover haar gaat zitten. Hij weet dat deze vrouw schatrijk zal zijn als ze alles van haar man erft. Bovendien ziet hij dat er een groot leeftijdsverschil is tussen man en vrouw. Hij weet ook van de verpleegkundige dat de man allang erg ziek is en meer op bed lag dan dat hij in de rolstoel zat.

Als zij de naam van de bezoeker niet wil noemen, acht hij misdaad niet bij voorbaat uitgesloten. Dan zegt hij ineens, terwijl hij haar strak aankijkt: 'Kan uw man zelf die overdosis ingenomen hebben?'

'Hoe bedoelt u?'

'Was het wel zelfdoding van uw man?'

Mirjam haalt haar schouders op.

'U weet meer... Waarom vertelt u het ons niet? We kunnen op het kantoor van uw bedrijf zelf navraag doen wie die man is die uw man heeft bezocht. Het lijkt mij verstandiger dat u het ons zelf vertelt.'

Mirjam richt haar hoofd op en zegt: 'Wat maakt het allemaal uit? Theo komt er niet mee terug.'

'Daar heeft u volkomen gelijk in. Toch is het belangrijk voor ons wat voor gesprek er is geweest tussen uw man en zijn bezoeker.'

'Daar weet ik niks van,' liegt Mirjam.

'Bent u de hele middag op kantoor geweest?'

'Nee, ik ben even naar...'

'Waar bent u geweest?'

'Bij een vriendin...' liegt Mirjam die merkt dat ze in een val wordt gelokt.

'Mogen we haar bellen?'

'Dat is privé.'

'Toch willen we weten waar u was tijdens de dood van uw man.'

'Dat gaat jullie niks aan. Mijn man heeft het zelf gedaan,' valt Mirjam nu ineens uit.

'Dan moet hij daar een reden voor hebben. Zo'n groot

zakenman als uw man pleegt niet zomaar zelfmoord. U kent uw man beter dan wij, neem ik aan. Wees eens eerlijk?'

'Hij had geen leven meer. Hij lag de hele dag op bed en zat af en toe in de rolstoel. Het ging steeds slechter met hem, hij wilde zelf niet meer leven,' zegt Mirjam dan overtuigend.

'Dat is erg aannemelijk. Toch houdt u iets achter dat voor u en ons belangrijk is. Of wilt u iemand beschermen?'

'Waarom zou ik?'

'U bent nog jong en uw man was ziekelijk en hij had het moeilijk, neem ik aan...'

'Waar wilt u heen?' vraagt Mirjam terwijl ze de rechercheur aankijkt.

'Heeft u een vriend?' vraagt de rechercheur brutaal.

'Hoe komt u erbij?'

'Dat beweert een zekere meneer De Korte en hij wil graag getuigen dat het de waarheid is.'

'Hoe komt u aan De Korte?'

'Hij heeft ons gebeld toen hij het hoorde dat zijn werkgever was overleden.'

'Wie heeft dat dan doorgegeven?'

'Ik, mevrouw...' antwoordt de verpleegkundige.

'Hij belde elke dag uw man en toen uw man... Toen heb ik het hem per ongeluk verteld.'

'Wat heeft u gezegd?'

'Dat uw man is gestorven...' antwoordt de verpleegkundige nerveus.

'Heeft hij dan verteld dat ik...?'

'Ja, mevrouw, we hebben meneer De Korte gevraagd of hij hier is geweest,' antwoordt de rechercheur.

'En...?'

'Ene meneer Terfont is hier geweest.'

'Waarover zeurt u dan zo door, als u het al weet?'

'Er is nog meer mevrouw. U bent vroeg van kantoor weggegaan en niet naar een vriendin, zoals u zelf heeft verklaard.'

'Waar maakt u zich druk om?'

'We willen weten waarom uw man zelfmoord heeft gepleegd en of dat onder druk van een ander is geweest,' antwoordt de rechercheur scherp.

'Hoe kunt u zoiets denken? Hij heeft zelf die pillen geslikt.'

'Het kan, maar vrijwillig of onder dwang is wat anders. Het is verdacht als de heer Terfont eerst naar uw man gaat en een paar uur later zit u bij hem in zijn appartement, terwijl uw man hier ligt te sterven. Vindt u het ook niet een beetje verdacht?'

'Hij wilde zelf sterven, hij had zo geen leven meer. Kunt u dat niet begrijpen?'

'Dat kan ik begrijpen en zeker als je vrouw dan ook nog met een ander gaat.'

'Dat wist hij...' bekent Mirjam.

'Wat moest die meneer Terfont dan voor zijn dood hier doen?'

'Dat kunt u hem beter zelf vragen,' antwoordt Mirjam met zachte stem.

'Dat zullen we zeker doen. Het is verstandig dat u eerlijk bent tegenover ons.'

'U denkt dat ik niet van mijn man heb gehouden?'

'Dat weten we niet, dat kunt u ons bewijzen.'

'Hoe kan ik dat bewijzen nu hij er niet meer is...' snikt Mirjam.

'Uw man is erg bemiddeld en dan gebeuren er wel eens rare dingen en als wij horen dat zijn vrouw een vriend heeft die voor zijn dood even bij hem op bezoek is geweest en dat u even later daar bent en later thuiskomt dan anders, geeft dat te denken. Heeft u gewacht totdat u gebeld werd en hoorde dat hij overleden was?' vraagt de rechercheur kort.

'Nee, dat is niet waar.'

'Kom dan met de waarheid en vertel wat u en die vriend van

u met de dood van uw man te maken hebben.'

'Niks... helemaal niks...' snikt Mirjam die denkt aan het verhaal van Ronny over zijn bezoek aan Theo. Heeft Theo Ronny zelf wel uitgenodigd, of is Ronny toch een moordenaar en heeft hij gelogen tegen haar dat Theo hem dat potje met medicijnen wilde geven en heeft gevraagd de medicijnen in een glas te doen? Of heeft Ronny die medicijnen in het glas gedaan en Theo gedwongen het glas leeg te drinken? Het kan, want Theo was niet sterk meer en hij wist van haar liefde voor Ronny. Wil deze politieman uit haar mond horen dat zij er ook aan heeft meegewerkt om Theo te doden? Nee, daar zou ze nooit aan meewerken. Zou Ronny het dan toch gedaan hebben en met haar willen trouwen vanwege het geld dat ze erft? piekert Mirjam terwijl de rechercheur haar aankijkt.

'Het is niet alleen aantrekkelijk om met een jonge, knappe vrouw om te gaan, maar als hij ook achter het geld aanzit, dan kunnen er gekke dingen gebeuren.'

'Zo mag u niet denken...'

'Hoe denkt u er zelf over?'

'Ik heb u toch gezegd dat u beter alles aan Ronny Terfont zelf kunt vragen.'

'Maar hij is toch meer dan een zakenpartner van u?'

'Wat heeft dat ermee te maken?'

'Heel veel.'

'Goed, dan zal ik het u eerlijk zeggen: ik heb altijd van mijn man gehouden, ook al was hij ouder dan ik en al dachten ze dat ik om het geld met hem trouwde. Vooral Ben de Korte dacht dat. Die was erg jaloers en bang voor zijn baantje. Hij bespioneerde ons in opdracht van mijn man.'

'Dus uw man vertrouwde u en Ronny Terfont niet?'

'Nee, ik ben erachter gekomen en heb er met mijn man over gesproken. Ronny Terfont heeft ontslag bij ons genomen, toen hij het hoorde. Ik heb hem een tijd lang niet meer ontmoet.

Hij heeft niets meer van zich laten horen. Toen ben ik vanmiddag na mijn werk naar hem toegegaan.'

'Toen was hij al bij uw man geweest. Wist u daarvan?'

'Nee, Ronny heeft het me verteld, hoewel hij er met niemand over mocht praten.'

'Waarom niet? Waarom heeft hij het toch gedaan? Was dat bezoek van hem aan uw man zo bijzonder?'

'Ja. Mijn man wist dat hij met mij bevriend was en hij heeft aan Ronny Terfont gevraagd of hij een moord voor mij over zou hebben. Ronny is daar erg van geschrokken. Mijn man wilde Ronny het potje met pillen geven en vroeg of hij ze bij hem in het glas wilde doen.'

'Dus toch...'

'Nee, Ronny is hevig geschrokken en weggegaan. Mijn man heeft hem ook gevraagd of hij goed voor mij wil zorgen, als hij er niet meer is en of hij dan de leiding van het bedrijf op zich wil nemen,' vertelt Mirjam eerlijk.

'Wel een sterk verhaal.'

'Als u mij niet gelooft, dan kunt u het beter aan hem zelf gaan vragen.'

'Dat zal ik zeker doen,' antwoordt de rechercheur.

Mirjam kijkt naar het lege bed van Theo en vraagt wanneer hij weer terugkomt in zijn eigen huis.

'Vandaag nog,' belooft de rechercheur.

'Heeft u al iemand die u helpt met het regelen van de begrafenis?'

'Nee, nou ja, we hebben een huishoudster en haar man die hier helemaal in dienst zijn. Ik zal aan hen vragen of ze mij helpen.'

'En die Ronny Terfont?' vraagt de rechercheur.

'Met hem praat ik nu liever niet,' antwoordt Mirjam kort.

22

Diezelfde dag krijgt Ronny Terfont bezoek van de rechercheur. Hij schrikt als de man hem vraagt naar de dood van Theo Verschoot. Ronny gaat zitten en wijst de man een stoel aan.

'Dus u weet nog nergens van?' vraagt de rechercheur.

'Nee, dus hij heeft het toch zelf gedaan?'

'Dat weten wij niet, maar daarbij kunt u ons helpen.'

'Hoe bedoelt u?'

'U heeft hem het laatst bezocht.'

'O, ja...' antwoordt Ronny nog wat in de war.

'Was u voor zaken bij hem?' vraagt de rechercheur alsof hij niks weet.

'Nee, hij liet me komen voor een gesprek. Ik had al ontslag genomen en werkte dus niet meer voor hem.'

'Waar ging dat gesprek over?'

Ronny kijkt de agent aan en antwoordt: 'U zult het allemaal niet geloven.'

'Dat weet ik niet.'

Dan vertelt Ronny dat Theo Verschoot hem het potje met medicijnen wilde geven om hem te helpen uit het leven te stappen.

'Waarom zou hij dat per se aan u hebben gevraagd?'

'Hij vroeg of ik een moord voor zijn vrouw over had.'

'Zou u het gedaan hebben?' vraagt de rechercheur kort.

'Wat denkt u wel...?' antwoordt Ronny verbouwereerd.

'Ze is een knappe vrouw en hij was toch ziek en had niet lang meer te leven. Ja, toch?'

Ronny schudt zijn hoofd.

'Dus u heeft er niet aan meegewerkt?'

'Nee, zo zit ik niet in elkaar,' antwoordt Ronny.

'Het is wel erg toevallig dat zijn vrouw hier bij u was.'

'Dat is zo, het was niet gepland,' antwoordt Ronny eerlijk.
'Hadden jullie echt geen afspraak gemaakt?'
'Nee, ze kwam zomaar langs. We hadden elkaar een tijd niet gezien. Ik had ontslag genomen.'
'Waarom nam u ontslag?'
'Dat leek mij verstandiger in die situatie. Ik werd in de gaten gehouden en de man van Mirjam wist van ons contact.'
'Toch is alles wel een beetje verdacht. Vindt u ook niet?'
'Dat moet u voor uzelf uitmaken. Ik heb schone handen en heb met de dood van meneer Verschoot niks te maken.'
'Hebt u niet bij uzelf gedacht dat hij zelfmoord wilde plegen?'
'Nee, hij heeft na mijn weigering gezegd dat hij mij op de proef wilde stellen. Later heeft hij me gevraagd of ik goed voor zijn vrouw wil zijn en weer terug wil komen in het bedrijf.'
'Vindt u het zelf niet een beetje vreemd?'
'Dat is het achteraf zeker, maar het is geen moment in me opgekomen dat hij na mijn bezoek... nou ja...'
'Dat hij zelfmoord zou plegen?'
'Ik kan het eerlijk gezegd nog niet geloven. Het was een man met een sterk karakter.'
'Maar wat als je ziek bent en een knappe jonge vrouw hebt die veel voor je betekent maar die verliefd is op een jonge man...?'
'Hij heeft dat aanvaard toen ik bij hem was. Het leek alsof hij me vertrouwde.'
'Als hij nog had geleefd, was het dan doorgegaan tussen u en zijn vrouw?'
Ronny knikt alleen maar.
'En zij ook, denkt u?'
'Dat denk ik wel... Misschien niet als ze wist dat hij zich van het leven zou beroven.'
'Zou ze dat niet geweten hebben?'

'Zeker niet... Mirjam had het al moeilijk. Ze hield van hem als een dochter van een vader houdt.'

'En jullie hielden van elkaar als vrouw en man?'

'Ja, daar heeft u gelijk in,' antwoordt Ronny eerlijk.

'Hoe is het met Mirjam? Is ze erg overstuur?'

'Ja, dat is ze.'

'Heeft ze van mij verteld?'

'Ja, uw verhaal klopt, maar toch kunnen jullie het samen bedacht hebben.'

'U mag dat gerust denken. Zelf weet ik wel beter.'

'Jammer dat u ons niet hebt gewaarschuwd of zijn vrouw.'

'Ik heb het hier aan Mirjam verteld. We dachten alle twee dat hij ons op de proef stelde of aandacht wilde trekken. Mirjam was zelfs kwaad toen ik het haar vertelde. Ze wist niet dat ik bij hem aan huis moest komen en ik mocht het haar ook niet vertellen. Niemand mocht weten van onze ontmoeting.'

'Heeft dat u niet aan het denken gezet?'

'Nee, ik vond wel dat hij vreemd was, maar zelfdoding, daar was hij geen man voor... Ik kan het nog niet vatten.'

'Zulke mensen zijn daartoe in staat. U moest eens weten hoeveel mensen er met gedachten aan zelfdoding rondlopen, maar het zelf niet durven. Ze laten het vaak door een ander doen. Wij hebben er wekelijks mee te maken.'

'Was die verpleegster er dan niet?'

'Die mocht er toch niet bij zijn?'

'Hoe bedoelt u?'

'Toen u er was, mocht ze jullie toch niet storen?'

'Dat klopt ja, maar het is toch gebeurd toen ik weg was?'

'Als u de waarheid spreekt wel, ja.'

'Toen ze het ontdekte kon ze toch een arts bellen en snel een ambulance laten komen?'

'Het was te laat. Hij heeft een overdosis zware medicijnen

ingenomen. Als je er dan niet binnen een uur bij bent... Hij was al erg zwak. Het zou te laat geweest zijn als ze hem naar het ziekenhuis zouden hebben gebracht.'

'Dus die verpleegster is na mijn bezoek niet meer bij hem geweest?'

'Hij wilde rusten en ze mocht hem niet storen tot zijn vrouw thuis zou zijn.'

'O, en zij was hier vanuit haar werk naartoe gekomen,' zegt Ronny wat timide.

'Ja, en daardoor was ze erg laat.'

'Dus hij kon niet meer naar het ziekenhuis?'

'Hij is nu in het ziekenhuis voor een onderzoek. Ze hebben daar mensen die met de politie samenwerken, als het om zoiets gaat,' legt de rechercheur uit.

'Dus hij is niet thuis opgebaard?'

'Nee, nog niet.'

'Blijft hij in het ziekenhuis?'

'Nee, hij wordt vandaag nog thuisgebracht.'

'Dat zal moeilijk voor Mirjam zijn,' zegt Ronny terwijl hij gaat staan, een glas water haalt in de keuken en vraagt: 'Wilt u soms wat drinken?'

'Nee, ik zal weer eens opstappen,' antwoordt de rechercheur terwijl hij opstaat, Ronny een hand geeft en zegt: 'Wij houden deze zaak nog in onderzoek, dus u blijft voorlopig tot onze beschikking.'

'U bedoelt dat er nog een onderzoek komt?'

'Wij hopen voor u, dat u een rein geweten heeft. U begrijpt wel wat ik bedoel?'

'Nee, niet helemaal.'

'Uw verhaal en dat van zijn vrouw lijkt ons verdacht, maar er moeten natuurlijk wel bewijzen zijn. Het onderzoek zal uitwijzen of het zelfdoding was.'

'Mijn verhaal is de waarheid en dat van Mirjam ook. Ik

begrijp goed dat wij hem pijn hebben gedaan...' antwoordt Ronny verdrietig.

'Goed, u hoort nog van ons.'

Ronny laat de rechercheur uit, loopt terug naar de kamer, pakt de telefoon en toetst het nummer van de familie Verschoot in.

Hij krijgt een vreemde stem aan de telefoon en zegt: 'Mag ik mevrouw Verschoot spreken?'

'Met wie mag ik zeggen?'

'Ronny Terfont...'

Het is even stil en dan zegt dezelfde stem: 'Ze wil u liever niet spreken.'

'Maar ik...?'

Dan wordt de verbinding verbroken.

Ronny stapt in zijn auto en rijdt de oprijlaan van het herenhuis op. Hij stapt uit, loopt naar de voordeur en belt aan. Even later staat Marie, de huishoudster, voor hem.

'Mag ik even binnenkomen?'

Marie, die Ronny kent, antwoordt: 'Mevrouw wil u niet spreken.'

Zonder wat te zeggen loopt hij langs Marie de hal door naar de woonkamer. Hij ziet Mirjam alleen in de kamer op de bank zitten. Ze kijkt hem verschrikt aan.

'Mirjam, waarom wil je mij niet meer zien...?'

'Ik wil niks met je te maken hebben!' schreeuwt ze.

Ronny valt voor haar op zijn knieën voor de bank en smeekt: 'Mirjam, je moet me geloven! Ik heb de waarheid gesproken, geloof me alsjeblieft!'

Mirjam staat op, loopt naar de deur van de hal en doet die open.

'Maak dat je weg komt, leugenaar!'

Ronny staat op, loopt naar haar toe, pakt haar bij de arm en smeekt met tranen in zijn ogen: 'Mirjam... echt, Mirjam... je moet me geloven! Hoe zou ik zoiets kunnen...? Je weet toch dat ik zoiets nooit zal doen?'

'Ga weg, leugenaar!' schreeuwt Mirjam tegen hem met grote ogen in haar hoofd.

Ronny gaat met gebogen hoofd de deur uit die de huishoudster voor hem openhoudt en gelijk weer achter hem sluit. Hij stapt in zijn auto, terwijl de tranen over zijn wangen lopen. Hij heeft nooit van haar verwacht dat ze zal denken dat hij zoiets zal doen...

Het is al donker geworden. Ronny zit in zijn stoel. Hij heeft nog niks gegeten. Hij heeft een halve fles wijn gedronken en is wat suf. Hij pakt de fles opnieuw en neemt een paar slokken. Hij valt in zijn stoel in slaap.

Als hij na een half uur wakker wordt lijkt alles op een boze droom, maar het is werkelijkheid. Hij voelt zich misselijk, loopt snel naar het toilet en geeft over. Hij rilt en kruipt in bed. Na een paar uur staat hij weer op, hij gaat dicht bij de verwarming zitten en huilt als een klein kind. Ze denkt dat hij een moordenaar is... Hoe kan ze zoiets van hem denken? Het beste kan hij zelf er ook maar een eind aan maken. Had hij die pillen maar aangepakt en ze zelf ingenomen, dan was hij er beter aan toe geweest...

Ronny leest in de krant het overlijdensbericht van Theo Verschoot. Als het de dag van de begrafenis is, trekt hij een donker pak aan en rijdt naar het kerkhof. Hij blijft in de auto zitten tot de lijkwagen en de volgwagens zijn gepasseerd, dan stapt hij uit en loopt naar de plaats waar de begrafenisplechtigheid plaatsvindt.

Hij gaat op een afstand achter een dikke boom tegenover het graf staan. Het is een kleine stoet. Mirjam wordt ondersteund door de verpleegster die al die tijd voor Theo heeft gezorgd. Daarachter loopt de huishoudster met haar man Kees en daarachter lopen Ben de Korte en nog wat personeelsleden van het bedrijf Verschoot.

Als de kist ter aarde gaat ziet hij Mirjam die steeds haar tranen droogt met een zakdoek. Als de predikant nog wat troostwoorden uitspreekt, richt Mirjam haar hoofd op en kijkt recht in de ogen van Ronny. Ronny blijft haar aankijken totdat ze haar ogen neerslaat en ze het graf verlaten. Hij veegt zijn ogen droog.

Kan hij ook de aula ingaan en haar condoleren...? Hoe zal ze reageren...? Nee...

Ronny loopt het kerkhof af naar de parkeerplaats, stapt in zijn auto en rijdt naar zijn zus die in de stad woont en bij wie zijn zoon is. Hij vertelt haar alles. Ze merkt dat haar broer behoorlijk overstuur is.

'Nou moet je eens goed luisteren, Ronny. Zet die onzin uit je hoofd. Jij bent geen moordenaar, al denkt zij dat van jou.'

'Maar het is toch ook mijn schuld...? Ik had nooit moeten doorzetten... Ze was een getrouwde vrouw. Ik heb hetzelfde gedaan als mijn eigen vrouw.'

'Jij moet jezelf geen schuldgevoel aanpraten. Zij had beter moeten weten en jou niet zover moeten brengen. Jij bent een gescheiden man en zij was getrouwd. Ze had voor haar man moeten zorgen en niet naar jou toe moeten komen om je het hoofd op hol te brengen.'

'Jij hebt makkelijk praten... Ik hou van haar... Het doet me pijn als ze echt denkt dat ik haar dit zou aandoen. Ze ziet mij als de moordenaar van haar man en denkt dat ik dat om haar rijkdom heb gedaan.'

'Beheers je nou maar, Rudolf komt uit school. Het is niet goed als hij zijn vader ziet huilen...'

'Pa...?'

'Dag, jongen...'

'Is papa ziek?'

'Nee, hoor...'

'Papa heeft rode ogen. Heeft papa verdriet om mama?'

'Nee, jongen...'

'Papa mag niet huilen. Papa, mag ik mee naar jouw huis?'

'Goed, jongen, je mag mee als je tante het goedvindt.'

'Natuurlijk mag hij mee, nu je voorlopig toch niet werkt. Zo heb je wat omhanden. Die jongen van je is een opgewekte, vrolijke knul. Laat dat zo blijven en pieker niet over dat mens. Die redt zich wel met al haar rijkdom,' merkt zijn zus op.

23

Een paar maanden later wordt er op een avond aangebeld bij Ronny. Hij kijkt op de staande klok die hij van zijn ouders heeft geërfd. Het is al bijna elf uur. Hij doet open en dan staat er een vrouw voor zijn deur.

'Mirjam...! Mirjam, jij hier...?'

'Mag ik binnenkomen...?'

'Natuurlijk...! Kom binnen...'

Hij pakt haar jas aan, hangt die aan de kapstok en volgt haar naar de woonkamer. Daar draait ze zich om en kijkt hem aan.

'Je zult het wel vreemd vinden dat ik nog zo laat bij je aankom.'

'Nee, joh, ga zitten. Wat wil je drinken?'

'Maakt niet uit, hetzelfde wat jij drinkt.'

Mirjam gaat op de bank zitten.

'Koffie heb je zeker al gehad?' vraagt Ronny vanuit de keuken.

'Ja.'

Even later komt hij met twee glazen en een fles wijn. Hij schenkt ze alle twee vol.

'Vind je het niet vreemd dat ik zomaar naar je toe kom?'

'Ja, dit verwachtte ik niet. Je denkt dat het allemaal mijn schuld is, maar ik... echt...'

Dan kan Ronny zich niet meer goed houden. Hij barst in tranen uit en snikt: 'Hoe kan je zoiets van me denken...? Je mag niet denken dat ik achter jouw rijkdom aan zit...'

Mirjam staat op, legt haar arm om zijn schouders en geeft geen antwoord.

Ronny kijkt haar aan en zegt opnieuw: 'Ik heb je toen echt de waarheid verteld, Mirjam...'

'Het is goed, Ronny. Het overviel me allemaal zo. Zelfs de politie vertrouwde het niet en toen ging ik ook aan je twijfelen.'

'Geloof je me dan nu nog niet? Echt, ik heb overal spijt van. Ik geef heel veel om je, maar zo wil ik het niet...'

'Het spijt mij ook erg, Ronny. Eigenlijk ben ik de schuldige... Ik had een man die ernstig ziek was en liet hem in de steek. Ik heb er heel lang over nagedacht en kon het vanavond niet meer uithouden. Ik moest voor de nacht met je praten,' zegt Mirjam nerveus.

'Ik heb je vaak gebeld, maar je nam nooit op,' zegt Ronny terwijl hij zijn tranen droogt.

Dan horen ze naast de woonkamer een stemmetje: 'Papa...'

De deur van de slaapkamer gaat open en er staat een kleine jongen voor hen.

'Rudolf, je moet gaan slapen, jongen,' zegt Ronny.

'Wie is die tante?'

'Dat is mevrouw Verschoot.'

'Geen tante?'

'Jawel, hoor, ik ben tante Mirjam,' zegt Mirjam terwijl ze naar het jongetje in pyjama toeloopt.

'Kun je niet slapen? Heeft deze tante je wakker gemaakt?'

'Nee, ik wil altijd bij papa blijven en niet meer naar tante Truus.'

'Dat mag vast wel van papa...'

'Wil jij dan mijn mama worden? Papa heeft gezegd dat hij een andere mama gaat zoeken.'

'Ja, hoor, ik wil best jouw mama worden als jouw papa dat goedvindt.'

Dan staat Ronny ook op en kijkt Mirjam aan die nog steeds Rudolf op haar arm heeft.

'Meen je dat, Mirjam?'

'Ja, Ronny, als jij me nog wilt hebben...?'

Ronny kan geen antwoord geven. Hij zou haar willen omhelzen en nooit meer loslaten, maar de kleine Rudolf zit tussen hen in.

Dan pakt Ronny Rudolf en zegt: 'Kom, dan brengen we jou eerst naar bed.'
'Gaat tante Mirjam ook mee?'
Samen brengen ze Rudolf naar zijn slaapkamer en als hij in bed ligt, krijgt hij een zoen van Mirjam.
'Wil jij echt mijn mama worden?' vraagt hij nog wat onzeker.
'Ja, hoor, als papa het goedvindt...'
'Papa vindt het wel goed, hè, pa?'
'Ja, jongen. Nu ga je slapen, hoor. Je moet morgen weer naar school.'
Als ze terug zijn in de woonkamer neemt Ronny Mirjam in zijn armen, kust haar en fluistert: 'Lieve Mirjam, meen je het echt...? Ik houd zoveel van je...'
'Ja, Ronny, ik kon het thuis niet meer uithouden, ik verlangde zo naar je. Wil je het me vergeven? Ik hoop dat mijn man het me ook heeft vergeven. Het is zo'n warboel hier vanbinnen in me. Wil jij me helpen alles weer op orde te brengen?' snikt Mirjam.
'Ja, lieverd, we zullen goed voor elkaar zorgen,' antwoordt Ronny.
'Wil je me echt voor altijd hebben?'
'Ja, lieverd, ik heb een vrouw nodig en Rudolf een moeder en een ander dan jij willen we niet.'